La sémantique fonctionnelle

LE LINGUISTE

La sémantique
fonctionnelle

CLAUDE GERMAIN

Professeur à l'Université de Montréal

PRESSES UNIVERSITAIRES DE FRANCE

En hommage à
Georges Mounin

ISBN 2 13 036644 9

1re édition : 2e trimestre 1981
© Presses Universitaires de France, 1981
108, Bd Saint-Germain, 75006 Paris

SOMMAIRE

Avant-propos

En dépit d'un certain essoufflement, la grammaire générative semble en certains pays occuper encore aujourd'hui le devant de la scène linguistique. Certains de ceux qui pratiquent des méthodes non générativistes passent parfois pour n'être pas à la page. Il se trouve pourtant bon nombre de chercheurs qui, ayant rejeté les hypothèses du chomskysme, n'en poursuivent pas moins sérieusement leurs recherches à l'abri d'un certain tapage publicitaire. Ce n'est cependant pas la première fois que pareille situation se produit.

Il y aura bientôt un demi-siècle, les épigones de Bloomfield, faisant fi des pertinentes distinctions sémantiques de leur maître pour ne s'arrêter qu'à l'aporie de son enseignement, s'empressaient de jeter la sémantique aux oubliettes de la linguistique. La période de « grande noirceur » sémantique qui s'ensuivit en milieu américain n'empêcha pourtant pas, vers la même période, la sémantique outre-Atlantique d'évoluer. En France, Meillet jette les bases d'une conception sémantique dont on commence à peine, de nos jours, à mesurer la portée (le sens d'un mot ne se laisse définir que par une moyenne entre ses emplois linguistiques, et les mots ne constituent pas un système mais forment, tout au plus, des « petits groupes »). En Suède, les distinctions de Noreen font de lui un véritable précurseur de la sémantique moderne. Au Danemark, Hjelmslev fonde la glossématique qui accorde une certaine place à l'étude de la forme du contenu. En Angleterre, paraît en 1923 en supplément à *The Meaning of Meaning* de Ogden et Richards, l'important article de l'anthropologue-linguiste Malinowski dans lequel il utilise pour la première fois l'expression *situational context* qui allait être au centre de la doctrine sémantique de Firth. En Allemagne enfin, deux ans seulement avant la publication aux Etats-Unis du *Language* de Bloomfield, paraît l'ouvrage de Trier qui allait être la source de l'un des plus féconds courants de recherches sémantiques qui ait existé, à savoir les études portant sur ce que l'on appelle à tort ou à raison, peu importe ici, les « champs sémantiques ».

La popularité dont jouit à l'heure actuelle une certaine sémantique ne devrait cependant pas obnubiler l'esprit au point de laisser croire qu'elle représente, à elle seule, toute la sémantique. Il y aurait certes quelque outrecuidance à vouloir réduire toute la linguistique à l'opposition binaire du distributionnalisme et de la grammaire générative. Il existe, parallèlement à la sémantique générative ou interprétative d'obédience américaine, bon nombre d'autres courants sémantiques. C'est à l'une de ces tendances, la sémantique fonctionnelle, qu'est consacré le présent ouvrage.

Notre objectif consiste précisément à faire mieux connaître les hypothèses de base et les orientations méthodologiques de la sémantique fonctionnelle qui, prenant racine dans le structuralisme classique, en retient les aspects positifs et tente d'en combler les insuffisances. Coseriu, Granger, Martinet, Mounin, Prieto : tels sont les représentants les plus marquants de cette sémantique fonctionnelle dont on voudrait faire voir ici non seulement les avenues prometteuses mais également les difficultés de parcours. En ce sens, il ne s'agit nullement de présenter des solutions et des réponses définitives mais bien plutôt de donner un aperçu de certaines méthodes et des résultats provisoires obtenus, en en faisant voir les implications. A cet égard, même certains problèmes fondamentaux n'ayant pas encore reçu de solution pourront être mis en relief. Vu l'état embryonnaire de la sémantique actuelle, formuler clairement un problème, c'est-à-dire faire avancer la problématique, c'est déjà obtenir un résultat considérable. Il ne s'agit donc pas tant de dresser un bilan des opinions que de donner une vue d'ensemble cohérente des problèmes sémantiques. La fameuse phrase de Poincaré : « Il y a seulement des problèmes *plus ou moins* résolus » (*Science et méthode*, Paris, Flammarion, 1908, p. 34) s'applique peut-être tout autant, sinon plus, à la sémantique qu'aux mathématiques. Ainsi, loin d'être présentée comme une panacée, la sémantique fonctionnelle pourra-t-elle, espérons-nous, être appréciée à sa plus juste valeur.

Dans cette perspective, cet ouvrage s'adresse avant tout à ceux qui s'intéressent aux sciences humaines, chercheurs et étudiants de linguistique en particulier, et qui désirent accroître leur culture sémantique de manière à adopter une attitude plus ouvertement critique vis-à-vis de tout ce qui se publie de nos jours en sémantique.

Nous tenons à dire ici notre dette de reconnaissance envers notre collègue Ghyslain Charron qui a bien voulu consacrer de nombreuses heures à discuter avec nous de questions sémantiques. Les propos contenus dans notre ouvrage sont en grande partie le fruit de ces longues et toujours amicales discussions.

Quant au Conseil canadien de Recherches en sciences humaines, qui nous a accordé une bourse de travail libre, qu'il trouve ici l'expression de toute notre gratitude.

CHAPITRE PREMIER

Introduction :
quelques remarques
d'ordre épistémologique

Toute théorie scientifique repose, de manière avouée ou inavouée, sur un certain nombre de présupposés fondamentaux. Les théories linguistiques, en tant que théories scientifiques, n'y échappent pas. Il nous a donc paru utile de consacrer ce chapitre d'introduction à l'explicitation de quelques concepts de base de manière à bien mettre en évidence nos choix initiaux, c'est-à-dire les assises théoriques de la linguistique fonctionnelle. C'est ce qui explique le caractère plutôt épistémologique de nos remarques préliminaires. Depuis quelques années, d'ailleurs, n'assiste-t-on pas à un renouveau d'intérêt pour les discussions portant sur les fondements mêmes de la linguistique ? C'est notre sentiment que quelques notions d'épistémologie linguistique en tête d'un ouvrage de sémantique pourront conduire à une compréhension plus profonde des questions posées et des solutions proposées.

La perspective dans laquelle nous nous plaçons est la suivante : l'acceptation de tel postulat, d'ordre épistémologique, implique l'acceptation des conséquences linguistiques qui en découlent. Autrement dit : autres postulats, autres implications. C'est ainsi que les problèmes traités au cours des prochains chapitres sont ceux qui découlent,

par exemple, de l'acceptation de la notion de pertinence
et de la croyance en un caractère spécifique des langues
naturelles. Ces problèmes sont évidemment très différents
de ceux provenant d'une attitude aprioriste ou de la
croyance en un parallélisme logico-sémantique. Il ne s'agit
donc pas, tout au long de notre ouvrage, de montrer la
supériorité d'un traitement fonctionnel de la problématique sémantique, celle-ci n'étant même pas reconnue
par tous comme identique. L'irréductibilité de la grammaire générative et de la linguistique fonctionnelle s'explique précisément par des présupposés scientifiques fondamentalement distincts. C'est pourquoi il importe, dès
le début, d'expliciter nos postulats. Il faudrait cependant
se garder de croire que l'acceptation par différents chercheurs des mêmes convictions épistémologiques signifie
l'adoption d'une solution unique aux mêmes problèmes.
Bien au contraire. Le dynamisme d'un courant de pensée
s'explique en grande partie par l'exploration simultanée
de voies de recherche différentes. Le monolithisme intégral
mettrait un terme, à brève échéance, à la vie scientifique.
Dans cette optique, les quelques points de divergence que
l'on pourra noter entre des chercheurs fonctionnalistes
comme E. Coseriu, G.-G. Granger, A. Martinet, G. Mounin ou L. J. Prieto par exemple, sont tout à fait bénéfiques,
voire même souhaitables dans la mesure bien entendu où
cela ne dégénère pas en vaines querelles ou futiles polé-
miques.

I. LE STRUCTURALISME

Pour comprendre la nature du structuralisme de
Martinet, il faut remonter à F. de Saussure qui conçoit
la langue comme un système solidaire dont chacun des
termes tire sa valeur de la présence simultanée des autres
termes. Toutefois, il ne suffit pas pour caractériser le
structuralisme, quel qu'il soit, de considérer tout simplement une langue comme un ensemble organisé d'unités.

Si tel était le cas, nous serions en droit d'affirmer que le structuralisme linguistique existe depuis des millénaires. Ce qui distingue le structuralisme de toute autre approche, c'est la reconnaissance de la primauté de la structure, c'est-à-dire des relations, sur l'unité. Cela revient à dire que l'unité linguistique ne saurait être adéquatement définie en fonction de ses seules caractéristiques positives, mais bien d'après ses caractéristiques relationnelles. Sur le plan pratique, il peut cependant arriver qu'une unité ne doive être définie qu'en termes positifs : c'est le cas par exemple du /l/ et du /r/ français. Mais il faut avouer qu'il s'agit des deux seuls phonèmes du français qui sont hors corrélation, c'est-à-dire dont les traits définitoires ne se retrouvent dans aucun des autres phonèmes. Dans tous les autres cas, les traits pertinents d'un phonème entrent tous dans la définition d'au moins un autre phonème : par exemple, les traits de « sonorité », de « bilabialité » et d' « oralité », qui définissent en propre le /b/, réapparaissent tous ailleurs, en combinaison avec d'autres traits.

Il importe ici d'attirer l'attention sur l'une des différences entre le structuralisme de Saussure et celui de Martinet. En effet, Martinet se refuse d'aller aussi loin que Saussure lorsque ce dernier prétend qu'une unité linguistique *est* ce que les autres du même type ne sont pas. Par exemple, écrit Martinet (1977 *a*, p. 8)[1], même si le /l/ français est habituellement décrit comme une « latérale », il ne s'ensuit pas que tout son qui est produit latéralement doive être nécessairement identifié comme un /l/. C'est pourquoi, refusant ce corollaire de Saussure qui implique une référence à l'essence même des choses, Martinet préfère affirmer que toute unité doit être *définie* en référence aux autres unités du même système.

---

1. Dans nos références, on remarquera que la première date, précédée d'un petit *c*, indique l'année du copyright, et la deuxième date indique l'année de l'édition utilisée, à laquelle renvoient les pages données. Lorsqu'une seule date est donnée, cela veut dire que l'édition utilisée est la première de l'ouvrage.

2. LE RÉALISME

Toutefois, en acceptant de définir une unité en référence aux autres unités du même système, Martinet ne va cependant pas, non plus, jusqu'à adopter la position des glossématiciens sur le sujet. L'une des propositions fondamentales de la linguistique hjelmslévienne est de condamner le recours à toute substance, phonique ou sémantique, au seul profit des propriétés relationnelles, et d'affirmer l'isomorphisme des deux plans de l'expression et du contenu. Pour Martinet, à la symétrie de l'opposition des deux plans il faut opposer l'asymétrie de la double articulation. De plus, on ne saurait assimiler l'unité à la simple somme de ses relations. La prise en compte des termes de la relation apparaît à Martinet comme une nécessité inéluctable. Le recours à la substance est, particulièrement pour des motifs d'ordre diachronique, un fait dont le linguiste ne saurait se passer pour qualifier les relations même synchroniques qu'il découvre — contrairement à l'affirmation de Saussure suivant laquelle la langue serait une forme et non une substance. Or, ce recours à la substance est un fait capital sur le plan méthodologique puisque c'est l'une des raisons qui permettent de qualifier le structuralisme de Martinet de réaliste. C'est en ce sens que certains ont pu parler d'une opposition, au sein même du mouvement structuraliste, entre « réalistes » et « formalistes ».

Est-ce à dire que le réalisme de Martinet est un réalisme naïf ? Par réalisme naïf il faut entendre cette croyance du sens commun selon lequel les choses seraient telles que nos sens les perçoivent. Le réalisme linguistique de Martinet n'est pas un réalisme naïf. C'est que Martinet refuse de s'en tenir aveuglément aux données observables. C'est un fait aujourd'hui bien attesté et reconnu par tous que le réel est inépuisable. Par là, il faut entendre qu'il n'est pas possible de repérer toutes les caractéristiques d'un objet donné. Dès 1946, dans ses remarques « Au sujet des *Fondements de la théorie linguistique* de Louis Hjelmslev », Martinet n'écrit-il pas ce qui suit : « Il est encore des esprits, et parfois de bons esprits, qui s'imaginent pouvoir atteindre par l'observation la réalité totale et intégrale de l'objet étudié. Ils n'aperçoivent pas qu'ils ne peuvent jamais en saisir qu'un aspect qui varie selon la façon dont ils abordent cet objet. Ils ne voient pas que la première démarche d'une pensée scientifique qui veut mériter cette épithète est de définir précisément le point de vue selon lequel seront envisagés les faits observables. Pour faire de la linguistique, il ne s'agit pas d'examiner les faits de parole ou de langue sans méthode définie, ou selon une méthode dégagée au hasard qui variera d'un chercheur à un autre, mais de déterminer tout d'abord un principe d'abstraction *sui generis*, un angle de vision proprement linguistique qui, seul, permettra d'assurer d'une part l'unité interne de la science du langage, d'autre part l'autonomie définitive de cette science parmi les autres sciences de l'homme » (*c* 1946, 1968, pp. 19-20). Pour la définition de l'unité linguistique, seules quelques propriétés de la substance doivent être retenues : « Il est humaine-ment impossible, écrit de nouveau Martinet une vingtaine d'années plus tard, d'identifier un objet quelconque en en donnant une description exhaustive. Il y aura nécessaire-ment choix de la part du descripteur, car le nombre de détails est infini » (1968, p. 43). Autrement dit, seule une partie de la matière phonique des énoncés constitue l'objet linguistique : tous les éléments fournissant des indices susceptibles de caractériser l'individu qui parle (identifi-cation de la personne, traits de personnalité, humeur, etc.) ne sauraient être pris en compte. C'est pourquoi s'impose une épuration initiale des données de l'observation.

Comment procéder à pareille épuration ? Non pas, précise Martinet, au moyen d'hypothèses *a priori* mais grâce à l'épreuve de commutation. Recourant au principe de pertinence et à la technique de commutation, le linguiste en arrive ainsi à dégager une réalité proprement linguistique qui est distincte de la réalité tout court. La réalité linguistique dont il est ici question ne saurait donc se confondre avec la substance matérielle : il s'agit d'une réalité distincte. Distincte non pas en tant qu'entité constituée d'éléments totalement nouveaux, mais constituée d'une partie seulement des caractéristiques de la réalité matérielle. C'est pourquoi le terme « d'épuration » de la réalité est très probablement celui qui désigne le mieux le phénomène en question. Par exemple, si le /b/ français est défini phonologiquement comme une consonne sonore, bilabiale et orale, il n'en demeure pas moins que phonétiquement, c'est-à-dire sur le plan de la substance sonore, le /b/ est formé de quantité d'autres caractéristiques que le phonologue laisse de côté en ce qu'elles ne jouent aucun rôle du point de vue de la communication proprement linguistique : hauteur, intensité, timbre, force, formants, etc. De plus, cette réalité est considérée comme proprement linguistique en ce qu'elle est constituée à la fois de certaines propriétés physiques et de relations entretenues avec les autres unités du même système. Ce serait donc commettre une grossière erreur que de croire en la nature concrète des entités linguistiques qui en résultent. Il s'agit d'unités abstraites dont la somme des traits pertinents est obtenue à la suite d'un processus d'abstraction, d'un tri parmi des traits concrets (à ce sujet, voir en particulier M. Mahmoudian, 1976 *b*, pp. 26-27). Les traits choisis sont alors dits pertinents, les autres non pertinents. L'on comprend donc en quoi le réalisme de Martinet, loin de consister en une simple classification ou taxinomie des données de l'expérience, ne saurait être qualifié de réalisme naïf. Alors que dans le réalisme naïf préstructural il y avait choix au hasard parmi les éléments de la réalité, pour Martinet, la langue étant conçue avant tout comme un instrument de communication, les faits observables sont classés selon une hiérarchie fondée précisément sur leur fonction communicative.

Mais il y a plus encore. D'un autre point de vue, le réalisme de Martinet s'oppose, non plus au formalisme, mais à l'idéalisme. Afin d'illustrer sa conception, Martinet a comparé à quelques reprises la structure d'une langue à la manière dont un édifice est construit. Selon lui, la structure d'un édifice est présente physiquement dans l'édifice même si nos sens ne peuvent en percevoir directement les lignes de force. Les traits pertinents de l'édifice sont logés dans la réalité concrète même de l'édifice. La divergence de points de vue entre chercheurs provient précisément de ce qu'il faut entendre par là. Selon certains, une structure est nécessairement une abstraction et cette abstraction est une création de l'esprit. Il s'ensuit que la structure n'est pas une caractéristique de l'objet, mais une création pure et simple de l'esprit du chercheur lui-même. Pour d'autres — dont Martinet — l'abstraction est vue comme une construction de l'esprit qui présente cependant cette particularité de ne retenir de la réalité physique considérée que certains traits (1965, pp. 293-294). Ainsi conçue, la structure linguistique est considérée comme une réalité que l'on doit chercher dans l'objet étudié même. Elle est donc loin d'être une construction théorique établie *a priori* par le chercheur. En ce sens, elle est immanente aux faits.

C'est dans cette double perspective, c'est-à-dire par opposition au formalisme d'une part et à l'idéalisme d'autre part, qu'il faut placer le réalisme de Martinet. Sur la scène américaine, avec l'avènement du chomskysme, la linguistique est passée il y a quelques années de l'empirisme au rationalisme : le primat de la raison s'est substitué au primat de l'observation. Or, fait significatif à noter, au moment où dominait l'empirisme américain, dans les années 40 et 50, l'attitude de Martinet aurait été perçue comme une provocation idéaliste. A l'inverse, avec le revirement de perspective de la linguistique américaine dans les années 60, le réalisme de Martinet s'exposait cette fois à passer pour trop réaliste. Le terme de réalisme risquait de laisser croire qu'il s'agissait tout bonnement, comme le pense d'ailleurs P. Postal (1966, pp. 162-163), d'une attitude simpliste dénuée de tout pouvoir d'abstraction et consistant en une pure réorganisation des données observées. Or, comme on l'a vu, il n'en est rien. En fait, le réalisme de Martinet se situe quelque part entre l'empirisme et le rationalisme, mais se rapproche davantage du premier que du second.

3. LA PERTINENCE COMMUNICATIVE

Pour bien mesurer la portée de cette attitude, il faut nous interroger maintenant sur le concept de pertinence. Qui dit pertinence, dit choix. Or, le linguiste ne saurait opérer un tri parmi l'ensemble des données observables qu'en fonction d'un certain critère. Quel est-il ? C'est, répond Martinet, la fonction communicative. Accorder la primauté à la fonction de communication ne consiste cependant en rien en une négation de l'existence d'autres fonctions possibles : expression de la pensée, fonction ludique, fonction esthétique, etc. Si la langue est définie par Martinet comme étant essentiellement un instrument de communication (doublement articulé et de caractère vocal), c'est que seule la fonction communicative permet de rendre compte, d'une part de son organisation interne, d'autre part de son évolution historique. Dans le premier cas, seule la compréhension mutuelle permet d'expliquer, par exemple, comment quatre prononciations différentes d'un même mot, comme *peur*, sont à chaque fois comprises comme renvoyant toujours en français à un même signifié, quel que soit le type de *r* utilisé (vibrante dentale, vibrante uvulaire, fricative dorso-vélaire sonore ou même sourde). Les lois de la pensée ne sauraient expliquer pourquoi deux de ces /r/ constituent cependant deux phonèmes distincts de l'arabe. Telle est l'une des justifications du caractère primordial accordé à la fonction de communication. La

seconde raison tient à des motifs d'ordre diachronique :
« Ce sont les lois phonologiques de la communication,
et non les lois de la pensée, qui peuvent expliquer, par
exemple, que le mot *mansionem* soit devenu *maison* en
français, *mohon* en wallon, *moison* en picard..., *maichon* en
berrichon, etc. » (Mounin, 1975, pp. 11-12).

Ainsi, appliquer aux données de la parole le principe
de pertinence revient à les interpréter et à les classer non
pas d'après leur réalité physique même, mais d'après leur
fonction communicative. On ne saurait donc dissocier le
fonctionnalisme de Martinet de son structuralisme : pour
lui, un point de vue structural implique un point de vue
fonctionnel. C'est la fonction communicative qui fonde
la pertinence choisie par le linguiste. Elle est donc le
point de vue qu'utilise le chercheur, l'outil conceptuel
qui lui permet d'interpréter la réalité : tout fait pertinent
de ce point de vue sera retenu, alors que tout le reste sera
laissé de côté. Il est cependant à noter que le concept de
pertinence n'implique pas que toute analyse doive se faire
en terme de *traits* pertinents. Certains *faits* peuvent être
pertinents même s'ils ne sont pas eux-mêmes organisés
suivant une structure matricielle à base de traits.

C'est le concept de pertinence qui permet à Martinet
de rejeter la dichotomie saussurienne langue-parole. En
effet, pour Saussure, il existerait deux linguistiques : une
linguistique de la langue (consacrée à la partie sociale
du langage) et une linguistique de la parole (la partie
individuelle du langage, dont la tentative de réalisation
par C. Bally n'a abouti à rien d'autre qu'à une stylistique).
Pour Martinet, il n'y a qu'une seule linguistique puisqu'il
n'existerait aucune organisation de la parole indépendante
de l'organisation de la langue : « La parole n'est que la
concrétisation de l'organisation de la langue » (Martinet,
c 1970, 1974, 1-13). Pour Saussure, la partie sociale du
langage est extérieure à l'individu. Pour Martinet, la
partie sociale du langage se trouve au niveau même de
chaque individu : la langue, en tant que partie commune à

plusieurs sujets, existe chez chacun d'eux. Il ne s'agit donc pas, sur le plan méthodologique, de tenter vainement d'atteindre la langue en elle-même et pour elle-même en dehors de toute réalisation concrète. Au contraire. Comme la parole n'est que la concrétisation de la langue, il suffit d'examiner la parole en faisant abstraction de ce qui est propre à l'individu pour n'en retenir que les éléments communs, c'est-à-dire les traits partagés par la communauté. C'est donc en procédant à une épuration des faits de parole, grâce au principe de pertinence et à l'épreuve de commutation, qu'il paraît possible d'en arriver à dégager une réalité proprement linguistique : « Il est clair, précise Martinet, que si les traits pertinents de la substance phonique doivent être considérés comme des éléments constitutifs d'une langue..., comme on ne saurait nier qu'ils appartiennent à la parole au sens le plus normal du terme, cela veut dire qu'ils participent conjointement de la langue et de la parole, ce qui rend impossible le maintien de l'opposition » (1973 *b*, pp. 23-24). Ajoutons que la pertinence communicative ne conduit pas à une opposition simpliste du pertinent au non-pertinent, mais aboutit à une hiérarchie fonctionnelle, c'est-à-dire à l'établissement d'une pertinence distinctive (sur laquelle Prieto et Martinet sont en désaccord — voir Prieto, 1975 *a*, p. 121) aux côtés d'une pertinence démarcative, fondement de la double articulation.

Par le recours au principe de pertinence, fondé sur la fonction communicative, le structuralisme de Martinet marque bien ses distances, en plus, vis-à-vis du distributionnalisme américain où la fidélité inconditionnelle au corpus constitue un principe intangible. Martinet rapporte à ce propos l'anecdote de cette personne qui, ayant établi un corpus de judéo-espagnol grâce à la collaboration de deux informatrices établies à Brooklyn depuis plusieurs années, en arriva à dégager un système phonologique comportant un /pʰ/ et un /tʰ/, aux côtés des séries correspondantes non aspirées. A l'analyse, il apparut alors que cela provenait du fait que dans le corpus s'étaient glissés deux termes anglais comportant ces réalisations : *tout* le contenu du corpus avait été considéré comme valable. C'est que la linguistique distributionnelle américaine s'est développée en dehors de toute considération de pertinence communicative.

De plus, en accordant la primauté aux choix que la langue rend possible au sujet parlant, la linguistique fonctionnelle de Martinet en arrive à privilégier le plan paradigmatique, considérant alors le niveau syntagmatique comme un simple préalable à la détermination de l'inventaire des possibles. A l'inverse, l'attitude distributionnaliste, en s'intéressant avant tout à l'étude des environnements de l'élément linguistique, privilégie la syntagmatique. Il y a là deux attitudes situées aux antipodes l'une de l'autre, que R. Jakobson a d'ailleurs tenté de concilier en accordant, dans son propre fonctionnalisme, une valeur indépendante aux deux types de relations, syntagmatique et paradigmatique.

4. L'INTUITION LINGUISTIQUE

Le problème se pose maintenant de déterminer la façon d'aborder scientifiquement un objet tel que le langage humain. Pour Martinet, il ne saurait être question de recourir à ce qu'il appelle tantôt l'introspection tantôt le sentiment linguistique ou « bon sens » des usagers : « Si nous voulons donner un peu de rigueur à notre discipline, il ne peut être question pour nous de nous livrer à l'analyse d'un sentiment, et ceci d'autant moins que ce sentiment ne peut être autre chose qu'un reflet laissé dans le subconscient par les expériences linguistiques du sujet. C'est sur les manifestations linguistiques elles-mêmes que nous devons faire porter notre observation » (1968, p. 64). Que peut-on penser de cette prise de position catégorique de Martinet sur cette importante question du recours à ce qu'en termes de Prieto l'on appellerait la connaissance non scientifique que le sujet parlant a de sa langue (1975 *a*, p. 150) ? Sur le plan terminologique, mieux vaut en tout cas éviter l'expression *sentiment linguistique* étant donné, soit les malentendus auxquels elle donne lieu lorsqu'elle est prise dans une acception large et vague, soit son caractère nettement trop restrictif si l'on choisit de la définir, par exemple, comme « l'intuition du sujet parlant qui lui permet de porter sur des phrases des jugements de grammaticalité » (*Dictionnaire de linguistique* de G. Dubois *et al.*, 1973). Quant au terme d'*introspection*, défini dans *Le Petit Robert* comme « l'observation d'une conscience individuelle par elle-même », il présente de trop fortes connotations psychologiques pour qu'il soit possible d'y recourir en linguistique sans risque de confusion. C'est pourquoi nous préférons nous en tenir plutôt au seul terme d'*intuition*, alors entendue au sens de connaissance immédiate ou spontanée (non scientifique) par opposition à la connaissance raisonnée ou scientifique. L'*intuition linguistique* est donc la connaissance immédiate qu'a de sa langue un sujet parlant.

A) *Quatre attitudes*

Ces précisions terminologiques étant faites, venons-en maintenant à la place et au rôle de l'intuition dans la recherche linguistique. Une première distinction d'importance s'impose dès le début. Il s'agit de ne pas confondre le recours à l'intuition linguistique en tant qu'objet d'étude, et le recours à l'intuition linguistique en tant que technique d'investigation (pour une perspective distincte mais complémentaire de la nôtre, voir *Linguistic theory, linguistic descriptions and speech-phenomena* de J. W. F. Mulder, 1975). Nous ne saurions, dans une perspective fonctionnaliste soucieuse de décrire et d'expliquer le fonctionnement d'une langue, prendre l'intuition comme objet d'étude : le processus de l'intuition ne peut en fait relever que de la psychologie. L'intuition mathématique ne relève pas plus de l'étude des mathématiques que l'intuition musicale de la musique. Reste donc à considérer l'intuition en tant qu'outil d'investigation linguistique. Quatre attitudes paraissent possibles. Tout d'abord, le rejet total du recours à l'intuition linguistique. Telles ont été, à un certain moment, les prétentions du distributionnalisme américain. Peut-on, dès lors, ne s'en tenir qu'aux seules données d'un corpus qui comporte inévitablement des lacunes, des erreurs, ou d'autres défauts du même genre ? En faisant totalement abstraction de l'intuition du sujet, l'étude linguistique se trouve réduite à l'examen des faits physiques, ce qui va à l'encontre de nos affirmations antérieures : la réalité physique, avons-nous dit, est une chose, la réalité linguistique en est une autre. C'est ce qui fait que les béhavioristes ont dû en venir à admettre un recours limité à l'intuition, à savoir, être en mesure de trouver une différence régulière entre deux ensembles de situations. Pourquoi, devons-nous alors nous demander à la suite de Mahmoudian, limiter ainsi le recours à l'intuition ? N'y a-t-il pas là une décision purement arbitraire ?

Une autre attitude consiste à admettre comme technique d'investigation scientifique le recours à l'intuition du chercheur lui-même. C'est ce qui se produit lorsque le linguiste joue le rôle d'un informateur au même titre que n'importe quel usager ordinaire. Il y a alors confusion, chez une même personne, entre connaissance non scientifique et connaissance scientifique de la langue. De plus, pareille pratique ne peut que conduire au subjectivisme. Or, le subjectivisme est inadmissible sur le plan scientifique en ce qu'il implique que deux chercheurs travaillant dans une même perspective (c'est-à-dire à partir des mêmes postulats et en réalisant une même série d'opérations) peuvent atteindre des résultats différents.

Une troisième attitude, liée à la précédente, revient à utiliser l'intuition afin de justifier une analyse préalable.

Là encore, le caractère non scientifique de pareil usage de l'intuition ne fait nul doute.

Une autre attitude possible, qui est celle que nous adopterons, est celle qui consiste à admettre le caractère inévitable de l'intuition en linguistique. Comme il ne paraît pas possible de s'en passer, mieux vaut l'admettre comme un outil de travail susceptible d'être utilisé par le linguiste, voire même comme un instrument indispensable. Telle est la position, par exemple, de Mahmoudian. Toutefois, précise ce dernier, l'appel à l'intuition ne saurait prendre d'autre forme que celle de l'enquête à l'aide de questionnaires. N'est-ce pas d'ailleurs ce qu'a fait Martinet dès 1941 lorsqu'il a mené un sondage sur les usages phonologiques de 409 officiers prisonniers dans un camp en Allemagne, dont les résultats ont été consignés (en 1945) dans son ouvrage sur *La prononciation du français contemporain* ? Ce questionnaire de 1941 a par la suite, à deux reprises, servi d'inspiration à des enquêtes du même type : d'une part l'enquête de Ruth Reichstein, menée en 1956-1957, auprès de jeunes Parisiennes (*Word*, XVI, 1, 1960, pp. 55-99), et d'autre part celle de G. Deyhime, conduite à Paris en 1962-1963, s'adressant à 500 étudiants (*La Linguistique*, 1967, III, 1, pp. 97-108, et III, 2, pp. 57-84)[2]. Les questionnaires utilisés comportent des questions du type : « Prononcez-vous de façon identique : a) *rat-ras*; b) *patte-pâte*; c) *(b)arrage-(p)arage* ? Si vous faites une différence, est-ce une différence de timbre ou de longueur ? » (Deyhime, p. 98). Dans tous ces cas, il s'agit de problèmes d'ordre phonologique.

---

2. Dans la même veine, signalons le *Dictionnaire de la prononciation dans son usage réel* d'André MARTINET et Henriette WALTER (Paris, France-Expansion, 1973, 932 p.) et les thèses non encore publiées de Caroline PERETZ, *Les voyelles orales à Paris dans la dynamique des âges et de la société*, et d'Anne-Marie HOUDEBINE, *La variété et la dynamique d'un français régional*.

B) *Caractère statistique de la structure linguistique*

Partant alors de cette constatation qu'il est nécessaire de faire appel à l'intuition pour décrire la phonologie d'une langue, Mahmoudian et son équipe de l'Université de Lausanne se demandent pourquoi il faudrait restreindre la validité de l'intuition au domaine des unités phoniques. C'est pourquoi ils ont récemment fait porter leurs recherches sur un problème d'un autre ordre : la place de l'adjectif épithète en français. Ils sont arrivés à montrer expérimentalement, au moyen d'enquêtes portant sur au-delà de 300 sujets, qu'il y a recoupement entre les variations sociales et les hésitations individuelles (à ce sujet, voir Mahmoudian, 1976 c et 1977, et R. Jolivet, 1976). Autrement dit, une fois admis le postulat de l'hétérogénéité de la structure en linguistique, là où la langue est rigoureusement structurée, c'est-à-dire là où il y a large consensus dans la communauté, la conscience de l'individu est nette; à l'inverse, lorsqu'il y a laxité de la structure linguistique, c'est-à-dire lorsqu'il y a dissensions, l'intuition de l'individu est incertaine. Les deux questions auxquelles devaient répondre les sujets, à partir de données comme : « C'était un cruel loup, c'était un loup cruel », étaient : « Le diriez-vous ? » et « Est-ce qu'il y a des gens qui le disent ? » (Mahmoudian, 1977, p. 10). C'est ainsi qu'en s'interrogeant sur les difficultés du recours à l'intuition, Mahmoudian en arrive à la nécessité d'établir une hiérarchie, fondée statistiquement, parmi les données. Les principaux inconvénients du recours à l'intuition, sous la forme d'enquêtes, sont en effet les suivants : d'un côté, l'intuition du sujet parlant n'est pas toujours nette; de l'autre, il arrive que le sujet, tout en étant absolument sûr de certaines choses, hésite plus ou moins sur d'autres; enfin, les réactions d'un même sujet à des moments différents peuvent présenter certaines fluctuations. Compte tenu de ces hésitations et de ces fluctuations, il paraît possible de donner à la structure linguistique un caractère statistique (1976 c, p. 75).

Suivant le raisonnement de Mahmoudian, nous ne voyons pas non plus pourquoi il faudrait restreindre le recours à l'intuition au seul domaine phonologique. Dans le cas des unités significatives, il nous paraît là aussi légitime de faire appel à l'intuition en tant que technique d'investigation (et non, comme on l'a vu, en tant qu'objet d'étude). N'est-ce pas d'ailleurs ce que fait Frédéric François (1973) lorsqu'il fait passer à 14 étudiants deux questionnaires dont l'un vise à comparer négation lexicale et négation par morphème libre (par exemple : « Il n'est ni intelligent ni non intelligent ») et l'autre concerne les quatre relations *ou*, *et*, *ni*, *(pas) mais* (par exemple : « Ce n'est ni permis ni obligatoire ») ? Pour notre part, nous nous sommes livré, en collaboration avec Ghyslain Charron, à une enquête portant sur l'usage lexical d'une soixantaine d'informateurs, à l'aide de questionnaires constitués d'images (101 illustrations de différents types de sièges).

S'il nous paraît légitime de recourir à la technique de l'enquête comme point de départ (pour une étape ultérieure de la recherche nous recommandons les tests et les questions) dans ce type d'analyse sémantique, c'est qu'il s'agit d'une procédure largement utilisée à la fois en psychologie et en sociologie, et qu'une langue, en tant qu'instrument de communication sociale entre individus, présente des aspects autant d'ordre sociologique que d'ordre psychologique. « Ce n'est pas par la description physique des choses signifiées, écrit Hjelmslev, que l'on arriverait à caractériser utilement l'usage sémantique adopté dans une communauté linguistique et appartenant à la langue qu'on veut décrire; c'est tout au contraire par les évaluations adoptées par cette communauté, les appréciations collectives, l'opinion sociale » (c 1957, 1971, p. 118). De plus, tout porte à croire que, tant dans le domaine sémantique que phonologique et syntaxique, une langue est bien un système, comme l'écrit Mahmoudian, doué d'une « structure statistique ». Grâce à ce type d'organisation il paraît possible d'en arriver à établir, pour le niveau sémantique, un système moyen, reflet d'un consensus nécessaire à la communication chez les usagers d'une langue.

C) *Corpus et enquête*

Toutefois, comme le fait remarquer pertinemment Mahmoudian, le questionnaire ne constitue qu'une voie d'accès à la structure linguistique. Le recours au questionnaire ne signifie nullement le rejet de l'analyse sur corpus. Bien au contraire. Tout en reconnaissant à l'intuition droit de cité en linguistique, Mahmoudian admet en même temps, avec raison, que le corpus puisse lui aussi servir d'accès à la langue : il y a là deux ordres de données empiriques complémentaires (1976 *b*, p. 32). Il nous semble donc raisonnable d'admettre en linguistique le rôle joué par l'intuition, sans toutefois nous contenter du seul recours à cette technique. La structure statistique de la langue peut être atteinte grâce au recours aux procédures conjointes du corpus et de l'enquête : tout porte à croire qu'il y aura alors convergence entre les résultats statistiques d'un corpus large et ceux d'une enquête approfondie (Mahmoudian, 1976 *d*, p. 10). Mais, demandera-t-on, recourir à l'intuition, en tant que technique d'investigation, ne revient-il pas à renoncer à l'objectivité scientifique ? Voyons donc d'un peu plus près de quoi il s'agit.

5. L'OBJECTIVITÉ SCIENTIFIQUE

A) *La conception de Martinet*

Dans *La linguistique peut-elle fonder la scientificité des sciences sociales ?* Martinet définit l'objectivité comme « une adhésion sans réserve aux données de l'observation, un

refus absolu de laisser ses préjugés ou ses préférences
personnelles infléchir sa démarche » (1978, p. 4). Pareille
définition implique que serait objective une connaissance
dans laquelle il n'y aurait aucune intervention de la part
du chercheur. A première vue, cette conception pourrait
paraître surprenante. Comment en effet concilier pareille
déclaration de Martinet avec ses propos, énoncés antérieurement, sur le critère de pertinence, c'est-à-dire de choix
opéré par le chercheur ? Assez paradoxalement, Martinet
paraît tantôt nier toute intervention de la part du chercheur (dans sa définition de l'objectivité), tantôt insister
sur la nécessité pour le chercheur d'opérer un tri parmi les
données observées (par son concept de pertinence).
Qu'est-ce à dire ?

A notre avis, sur cette question, il semble bien qu'il
faille voir chez Martinet deux attitudes complémentaires
plutôt qu'opposées. Une étude attentive des textes fait
voir qu'il est question d'une « adhésion sans réserve aux
données de l'observation » lorsque Martinet adopte une
attitude polémique vis-à-vis des idéalistes. Voulant rejeter
à tout prix les modèles aprioristes, il est amené dans les
circonstances à mettre l'accent sur la nécessité de respecter
la réalité linguistique. Toutefois, dans les textes de nature
non polémique, Martinet reconnaît explicitement, comme
on l'a d'ailleurs déjà vu, l'importance pour le chercheur
d'adopter un point de vue (celui de la fonction communicative, par exemple) dans le traitement des données
linguistiques. En fait, les concepts de pertinence et d'objectivité, loin de s'opposer, se complètent de la manière
suivante : le point de vue d'étude d'un objet étant déterminé, il est nécessaire de s'en tenir strictement à ce point
de vue sans qu'entrent en jeu des considérations personnelles. Il y a choix d'un point de vue dès le point de départ
de l'étude; par la suite, le chercheur doit s'en remettre à la
rigueur de la démarche scientifique. C'est en cela qu'objectivité et pertinence, dans la théorie de Martinet, sont deux
concepts conjoints, tous deux fondés sur la fonction.

Martinet ne s'arrête pas là. Il va même jusqu'à affirmer que c'est le concept de pertinence qui constituerait le fondement épistémologique des sciences de l'homme (1973 *b*, p. 19). C'est que pour lui le choix d'une pertinence représente le principe d'abstraction nécessaire à toute connaissance scientifique. Dans cette perspective, la différence entre les sciences de la nature et les sciences de l'homme serait que dans les premières il n'a jamais été nécessaire d'expliciter le principe de pertinence, c'est-à-dire de spécifier le point de vue adopté, celui-ci s'étant imposé en raison de nécessités d'ordre pragmatique (Martinet, 1977 *a*, p. 9). Par exemple, ce serait parce qu'il existe deux sens distincts chez l'homme, l'ouïe et la vue, que l'on aurait pu en arriver à établir l'existence, en physique, d'une acoustique et d'une optique. C'est également la nature même des objets observés qui aurait permis de distinguer, par exemple, la chimie de la physique et de déterminer, à l'intérieur de cette dernière, des domaines tels que l'électricité, la dynamique, le mouvement, etc. Le principe de pertinence serait implicite dans l'organisation des sciences de la nature. Toutefois, dans le cas des sciences de l'homme — que Martinet préfère appeler « sciences du comportement » — il en irait autrement. Il serait essentiel que soit explicitée la pertinence choisie puisque dans ce cas une multiplicité de points de vue paraît alors possible : « Le choix, conscient ou inconscient, d'une pertinence est la condition de l'établissement de toute science humaine. Fonder une science, c'est découper, dans le champ illimité des spéculations philosophiques, un domaine où les faits seront identifiés et classés en fonction d'un principe d'abstraction particulier. C'est ainsi que se sont fondées les sciences de la nature » (Martinet, 1973 *b*, p. 29). Le retard dans le développement des sciences de l'homme, ajoute Martinet, proviendrait du fait que, dès qu'il s'agit de l'homme lui-même, tout se complique puisque la réalité humaine est constituée de valeurs : à la nature vient se superposer la culture.

B) *La conception de Prieto*

Afin de permettre une discussion plus approfondie, nous avons cru utile de confronter ces thèses de Martinet avec les vues d'un autre fonctionnaliste, Prieto, exposées récemment dans *Pertinence et pratique* (1975 *a*). La thèse de Prieto veut que ce qui distingue les sciences de la nature des sciences de l'homme soit le fait que les premières, contrairement à ce que l'on croit habituellement, sont non objectives puisque, portant sur la réalité matérielle, elles présupposent un point de vue imposé de l'extérieur par le chercheur, alors qu'à l'inverse les secondes sont objectives. Comme la linguistique, par exemple, a pour objet une connaissance, c'est-à-dire cette réalité historique (et non matérielle) que constitue la connaissance non scientifique des sujets parlants, elle est objective puisqu'il y a en quelque sorte coïncidence entre l'objet-point de vue et le point de vue inhérent au chercheur (Prieto, 1975 *a*, pp. 77-81 et pp. 149-151). En d'autres termes, selon Prieto, une connaissance portant sur un objet matériel ne peut être objective parce que le sujet qui connaît se doit de choisir un point de vue; par conséquent, ce point de vue ne serait pas déterminé par l'objet lui-même mais imposé par le sujet à l'objet. Par contre, si la connaissance porte sur un objet qui est lui-même un point de vue sur une réalité matérielle, il y a objectivité puisque le point de vue, loin d'être imposé par le sujet connaissant, est dans l'objet. Autrement dit, en dégageant les présuppositions de la thèse de Prieto, comme le fait Charron, on en arrive à montrer que pour Prieto « une connaissance est objective si et seulement si tout vient de l'objet, si et seulement si le sujet de la connaissance n'apporte pas un point de vue qu'il impose de l'extérieur à l'objet à étudier » (Charron, 1977, p. 157).

C) *Sciences de l'homme et sciences de la nature*

En fait, comme on aura pu facilement s'en rendre compte, il y a désaccord entre Prieto et Martinet sur la nature même de l'objet de la linguistique. En effet, pour le premier, l'objet de cette discipline consiste en la connaissance non scientifique qu'a un sujet parlant d'une réalité matérielle, en l'occurrence la langue. Pour le second, l'objet est non pas une connaissance, mais cette réalité matérielle elle-même, examinée sous un certain point de vue. Le débat est plus profond qu'il pourrait paraître à première vue. L'attitude de Prieto revient à reconnaître un statut épistémologique distinct pour les sciences de l'homme et pour les sciences de la nature : celles-ci étudient la réalité matérielle, alors que celles-là ont pour objet les connaissances non scientifiques qu'ont les hommes de la réalité matérielle. Par exemple, précise Prieto, le phonéticien étudie la réalité matérielle sonore du langage, alors que le phonologue étudie la façon dont le sujet parlant connaît cette matière sonore. Quant à la position de Martinet, elle consiste à considérer — à l'encontre de la conception de Prieto — que l'objet d'étude d'une science de l'homme comme la phonologie n'est pas une connaissance mais bien un objet matériel vu sous un certain angle. Conscient de la différence de sa position par rapport à celle de Martinet, Prieto affirme par exemple que « la phonologie n'a pas pour objet d'étude les sons, mais bien les phonèmes, c'est-à-dire une façon de connaître les sons » (1975 *a*, p. 155).

Que peut-on penser des attitudes différentes de Martinet et de Prieto sur ces questions d'ordre épistémologique ? A notre avis, sur tout le problème complexe du fondement épistémologique des sciences de l'homme, les propos de ces deux auteurs doivent être accueillis avec une certaine réserve. Dans le cas de Martinet, on peut faire remarquer que c'est un fait reconnu depuis longtemps qu'une science ne saurait être définie par son seul objet matériel. Autrement dit, ce n'est pas la matérialité de l'objet qui peut permettre de dire s'il s'agit, par exemple, d'une science ou de deux sciences. Une science se définit d'abord et avant tout par le point de vue qu'elle adopte, tant dans le domaine des sciences de la nature que dans celui des sciences de l'homme. Comme l'a fait observer Charron, « il est toujours possible, à n'importe quel moment, d'inventer une nouvelle discipline : il suffit pour cela de trouver une nouvelle pertinence et d'utiliser une nouvelle méthode » (1977, p. 157). C'est ce qui explique qu'un même phénomène puisse, suivant la pertinence adoptée par le chercheur, être tantôt l'objet d'une science humaine, tantôt l'objet d'une science de la nature. Telle est la différence, par exemple, entre la phonétique et la phonologie. Les sons peuvent être étudiés du point de vue de leurs caractéristiques physiques (physiologiques, acoustiques ou auditives) : c'est la phonétique; les mêmes sons, étudiés cette fois du point de vue de leur fonction dans la communication humaine, donnent lieu à une autre science : la phonologie. Un phénomène peut être considéré comme faisant partie des sciences de la nature si l'approche adoptée ne vise pas à une explication d'un comportement humain en tant que tel; à l'inverse, le même phénomène peut être considéré comme faisant partie des sciences de l'homme si le point de vue choisi vise à une meilleure compréhension d'un comportement humain. C'est en ce seul sens qu'il est permis de dire que c'est le point de vue (ou la pertinence) qui fonde la distinction entre les sciences de l'homme et les sciences de la nature. A notre avis, le caractère explicite ou implicite de la pertinence ne joue pas le rôle stratégique que leur prête Martinet dans la détermination du statut épistémologique des sciences de l'homme et des sciences de la nature. Lorsqu'il écrit que « c'est ainsi que se sont fondées les sciences de la nature », ne semble-t-il pas reconnaître lui-même la nécessité de recourir, même explicitement dans le cas des sciences de la nature, au principe de pertinence ?

Quant à la conception de Prieto, elle nous paraît, également, discutable. A l'encontre de ses thèses, Charron fait valoir différents arguments. Nous en retiendrons deux. D'une part, Charron fait observer que, contrairement aux prétentions de Prieto, « ce sont des unités distinctives (les phonèmes) qui sont identifiées dans le circuit de la parole, et non des traits pertinents. Ces derniers ne peuvent être obtenus qu'à la suite d'un travail d'analyse scientifique : le sujet parlant ignore tout de l'existence même des traits pertinents. C'est ce qui fait que le point de vue du phonologue ne saurait être considéré comme un pur et simple reflet du point de vue du locuteur » (1977, p. 157). Il y a là, à notre avis, un contre-exemple probant. D'autre part, continue Charron, l'argument théorique principal de Prieto — une suite indéfinie de connaissances superposées — manque de fondement. Sa thèse ne peut être valable que si l'on accepte l' « empirisme spontané » tel que défini par Prieto lui-même : « Comme si la connaissance, réplique Charron, pouvait être un pur reflet quand l'objet est lui-même une connaissance, donc un point de vue. Une suite infinie de connaissances n'est pas un fait empirique et n'en sera jamais un, l'une des raisons étant que toujours on adopte comme dernier en *pratique*... un point de vue déterminé » *(ibid.)*. Autrement dit, contrairement à la thèse de Prieto, rien ne nous autorise à croire que les sciences de l'homme seraient plus objectives que les sciences de la nature. Pourquoi ?

D) *Une conception opératoire de l'objectivité*

Afin de suggérer des éléments de réponse à la question posée, nous croyons nécessaire d'esquisser ici notre propre conception de l'objectivité, distincte à la fois des vues de Martinet et de Prieto. Nous optons pour une conception opératoire de l'objectivité scientifique, qui nous entraîne à croire que, tout comme les sciences de l'homme, les sciences de la nature peuvent être soit objectives, soit subjectives. Voyons donc d'un peu plus près de quoi il s'agit. Etre objectif signifie, négativement, échapper au subjectivisme, c'est-à-dire à l'arbitraire individuel ou à l'introspection. Etre objectif ne signifie cependant pas nier — et nous insistons là-dessus — toute intervention du chercheur. L'objectivité implique, à notre avis, qu'à partir d'un même point de vue déterminé, différents chercheurs effectuant une même série d'opérations pourront parvenir à des résultats identiques. C'est ce qu'il faut entendre, en épistémologie moderne, par recourir à une procédure « opératoire » (ou « opérationnelle »). Par une conception opératoire de l'objectivité, nous entendons, à la suite de Charron, une attitude qui consiste pour un ensemble de chercheurs à partir d'un même point de vue déterminé, c'est-à-dire à accepter un même ensemble de présupposés, pour ensuite procéder à une série identique d'opérations de manière à parvenir à des résultats identiques.

En d'autres termes, l'objectivité scientifique provient d'une identité de point de vue et d'opérations, et non du caractère même de l'objet étudié. C'est ce qui fait qu'un même phénomène, les sons du langage, peut être à la fois objet d'une science de la nature (la phonétique) et objet d'une science de l'homme (la phonologie), ces deux types de connaissance pouvant être également objectives chacune dans leur ordre. Lorsque les opérations portent sur un domaine clairement délimité, comme les mathématiques, la tâche est relativement aisée. Toutefois, lorsque l'objet d'étude est une activité humaine soumise à divers aléas, comme c'est le cas de toute langue naturelle, la tâche est plus ardue. Comme une langue consiste d'abord et avant tout en un instrument de communication, c'est cet usage qui doit être mesuré. En linguistique il y a connaissance objective dans la mesure où parviennent aux mêmes résultats les chercheurs qui adoptent un même point de vue (la pertinence communicative, par exemple) et pratiquent les mêmes opérations (la technique de la commutation, par exemple). En ce sens toute description linguistique est relative aux postulats et aux opérations mis en œuvre pour l'accomplir. Ce qui est condamnable dans le recours à la propre intuition du linguiste, c'est précisément la non-identité des résultats en dépit d'une identité de points de vue et d'opérations.

De plus, comme les usages d'une communauté linguistique donnée sont nécessairement variés, il faut donc s'attendre à ce qu'une enquête visant à détecter les usages d'une langue présente des résultats variés. Qu'advient-il dès lors de l'objectivité ? Dans les circonstances nous croyons opportun de faire une distinction entre objectivité absolue et objectivité relative, cette dernière étant synonyme de confirmation statistique des résultats par les usagers de la langue. En d'autres termes, nous considérons comme acceptables des résultats confirmés sinon dans tous les cas du moins dans la plupart des cas. Pour mieux saisir cette distinction, imaginons qu'à la suite d'une enquête sur 100 personnes, dans un milieu donné, un chercheur aboutisse à ce résultat que pour désigner un objet 75 % des gens utilisent le mot *tabouret* alors que 25 % utilisent le mot *banc*. A supposer maintenant qu'un autre chercheur suive les mêmes étapes, et fasse porter son enquête sur un autre groupe de 100 personnes, du même milieu, il devrait aboutir à cette même répartition : 75 % pour *tabouret* et 25 % pour *banc*. Selon cet exemple fictif on dira qu'il y a objectivité relative dans le cas des pourcentages d'usage enregistrés (75 % dans un cas et 25 % dans l'autre), mais que la procédure suggérée, les opérations d'analyse, sont totalement objectives puisque les résultats sont parfaitement identiques dans chacune de ces enquêtes. Ainsi, dans l'expression « objectivité absolue », le terme *absolu* est synonyme de « soumis aux mêmes règles, aux mêmes opérations »; il s'oppose à tout ce qui est gratuit, arbitraire, en un mot, au subjectivisme. Par contre, dans l'expression « objectivité relative », le terme *relatif* est synonyme de « dans la plupart des cas »; il s'oppose à « dans tous les cas », c'est-à-dire, en définitive, à absolu (pris dans ce sens). Dans cette perspective, les justifications du recours à l'enquête combinée aux données du corpus, dont il a été question plus haut, prennent ainsi tout leur sens : l'analyse linguistique faite à partir d'un corpus n'est ni plus ni moins objective que l'analyse conduite à partir des résultats d'une enquête.

Telles sont donc, en substance, les convictions épistémologiques sous-jacentes à l'étude de la sémantique fonctionnelle d'inspiration principalement martinettienne que nous allons maintenant entreprendre.

CHAPITRE II

L'organisation
de l'expérience humaine

Dès qu'il est question en linguistique[1] de *champ séman-tique*, c'est à J. Trier et à son étude, dans les années 30, sur le vocabulaire allemand de la connaissance aux XIIIᵉ et XIVᵉ siècles que l'on songe immédiatement. C'est pour-tant un fait bien attesté que l'expression champ sémantique non seulement n'a pas été créée par Trier, mais qu'il a sciemment refusé d'y recourir (pour des motifs d'ordre polémique) : il n'utilise que les termes « champ lexical », « champ linguistique de signes », « champ conceptuel », « champ », et « sphère conceptuelle » (d'après H. Geckeler, *c* 1971, 1976, p. 124). Pour notre part, tout au long de notre ouvrage, nous emploierons de façon générale l'ex-pression *champ sémantique* en ne perdant toutefois pas de vue qu'il s'agit, dans la très grande majorité des cas, d'une référence à des études portant exclusivement sur le lexique d'une langue. L'expression *champ lexical*, qui aurait le mérite de désigner de façon plus spécifique notre domaine d'étude, n'a cependant pas été retenue car elle comporte une multiplicité de significations variables selon les auteurs. Nous ne l'utiliserons qu'au moment de discuter des concep-tions de ceux qui se servent eux-mêmes de cette expression.

---

1. En philosophie l'expression peut désigner tout autre chose, comme c'est le cas dans le volume du philosophe A. P. Ushenko, intitulé *The Field Theory of Meaning*, Ann Arbor, Univ. of Michigan Press, 1958, XXII-182 p.

Nous ne savons pas avec certitude quel auteur a pour la première fois utilisé en linguistique le terme de *champ*. D'après le linguiste tchèque O. Ducháček (1960, p. 26), le terme aurait été utilisé pour la première fois par A. Stöhr dans un ouvrage paru en 1910. Toutefois, selon Suzanne Öhman (1953, p. 130), le mot *champ* remonterait aussi loin que 1874 dans un ouvrage du Suédois E. Tegnér. Quelle que soit la date précise d'apparition de ce terme dans son sens linguistique, on le retrouve utilisé à quelques reprises, ici et là, par divers auteurs une dizaine d'années avant la publication, en 1931, de l'ouvrage de Trier[2]. Ce n'est donc pas à Trier que revient le mérite d'avoir introduit en linguistique le mot *champ*.

Dès lors, qu'en est-il au juste de la notion même de champ sémantique ? Sans qu'il soit ici question de relever les sources de Trier ou d'étudier la genèse de sa pensée — ce qui serait sortir des cadres fixés —, il n'est peut-être pas sans intérêt de rappeler que dès le Ier siècle avant Jésus-Christ, Dionysos de Thrace (170-190 av. J.-C.) constatait l'existence dans la langue grecque non seulement de synonymes, mais de relations sémantiques entre des paires de mots tels que *nuit-jour, mort-vie, père-fils*, etc. (d'après A. Jolles, 1934, cité par Ducháček, 1960, p. 22). Il faudra cependant attendre jusqu'au XIXe siècle pour qu'apparaissent, avec les dictionnaires idéologiques, les premières tentatives scientifiques de systématisation du lexique. L'idée suivant laquelle les mots d'une langue peuvent être organisés en fonction des concepts qu'ils désignent n'est donc pas récente. En philosophie, elle remonte au moins jusqu'à G. W. Leibniz et à son *Alphabet des pensées humaines*, en passant par la phénoménologie d'E. Husserl, l'enseignement d'E. Cassirer sur l'influence du langage sur la pensée, et surtout les vues de W. von Humboldt sur le conditionne-

2. Pour un aperçu historique de la question, nous nous contenterons de renvoyer à Suzanne ÖHMAN (1953), à DUCHÁČEK (1960), et surtout à GECKELER (c 1971, 1976, notamment les pp. 100-116).

ment réciproque du langage et de la pensée (sur ce dernier point, cf. H. Basilius, 1952, pp. 97-98). En linguistique, le véritable précurseur de l'analyse en champs serait, si l'on en croit Coseriu, un certain K. W. L. Heyse dont l'œuvre posthume, parue en 1856, comprendrait une analyse de contenu de caractère structural portant sur un champ lexical, le son (rapporté par Geckeler, p. 101). Par la suite, l'idée d'une analyse linguistique en champs se retrouve chez divers auteurs, qu'il serait trop long d'énumérer ici. Nous voudrions tout simplement attirer l'attention sur le fait que ce serait G. Ipsen qui, à ce qu'il semble, aurait le premier formulé de façon explicite l'idée de champ telle qu'elle sera empruntée par Trier. Quant à Saussure, il apparaît comme l'un des précurseurs de Trier[3] grâce en particulier à sa notion de valeur linguistique et à son concept de « rapports associatifs ». Trier reconnaît d'ailleurs explicitement sa dette envers ses deux grands précurseurs immédiats : Saussure et Ipsen (en plus de Humboldt)[4].

Ainsi, Trier n'a pas introduit le terme de champ en linguistique. Quant à la notion correspondante, elle était déjà dans l'air à son époque, tant dans les domaines philosophique et psychologique que dans le domaine proprement linguistique. Comment, dans ce cas, expliquer la renommée de Trier ? Sans aller jusqu'à dire, comme le fait P. Guiraud (c 1955, 1972, p. 79), que la conception de Trier constitue une véritable révolution en sémantique, il est permis de croire qu'elle présente une certaine originalité par rapport à la pensée de ses devanciers, mais ce qui fait avant tout le mérite de Trier est que, grâce à son étude systématique du champ de l'intelligence, il a su cristalliser, rassembler en un tout cohérent les idées déjà

3. Pour Suzanne ÖHMAN il ne fait pas de doute également que la conception de Trier a fortement été influencée en psychologie par le courant gestaltiste (1953, p. 128).

4. Sur cette question, voir en particulier COSERIU et GECKELER (1974, pp. 117-122).

dans l'air à son époque, de manière à faire école. L'ouvrage
de Trier a connu un meilleur sort que les tentatives isolées
d'un Tegnér, d'un H. Paul, d'un R. M. Meyer, d'un
Ipsen, d'un Porzig, ou de quelque autre précurseur. C'est
en ce sens surtout qu'il est permis de voir en Trier le
véritable créateur de la notion de champ sémantique.
Tant par les multiples études dont il a été le principal
instigateur[5] que par les nombreuses controverses qu'il a
suscitées, il se présente à la fois comme un précurseur et
comme un véritable chef de file dans le domaine de ce
que plusieurs appellent abusivement, en passant sous
silence les particularités de certaines conceptions, la
théorie des champs sémantiques. On comprendra donc
que l'on puisse choisir comme point de départ d'une discussion sur les champs sémantiques la conception, pourtant
déjà vieille de près d'un demi-siècle, de Trier.

1. L'HYPOTHÈSE DE TRIER

Quelle est cette conception ? L'hypothèse de base de
Trier pourrait être résumée ainsi : le lexique d'une langue
est constitué d'un ensemble hiérarchisé de groupes de
mots (ou champs lexicaux), chaque groupe de mots
recouvrant exactement un domaine bien délimité au
niveau des notions (ou champs conceptuels), et chacun
de ces champs, tant lexical que conceptuel, étant formé
d'unités juxtaposées comme les pierres irrégulières d'une
mosaïque. C'est ainsi que Trier montre dans son étude
qu'au début du XIIIe siècle le vocabulaire allemand de la
connaissance est constitué, fondamentalement, des trois
mots : *Wîsheit* (la sagesse), *Kunst* (l'art) et *List* (l'artifice).
A cette époque, la connaissance comprend en effet deux

---

5. Consulter à ce sujet les longues listes de H. KRONASSER (1968, *Hand-
buch der Semasiologie*, Heidelberg, C. Winter, p. 74, n. 64) ou de Suzanne
ÖHMAN (1953, p. 126, n. 16).

grands secteurs : un ordre matériel et un ordre spirituel. Le premier de ces ordres est double : il reflète d'une part la société courtoise et son attitude envers le savoir *(Kunst)*, et d'autre part la société non courtoise et sa façon d'appréhender la connaissance *(List)*. Quant à l'ordre spirituel, il représente une communauté d'attitude, tant chez le noble que chez le roturier, vis-à-vis de la sagesse morale et de la connaissance divine *(Wîsheit)*. Au début du xive siècle, du moins dans l'œuvre de Maître Eckhart, il y a non seulement substitution de *Wizzen* (le savoir) à *List*, mais changement de signification des deux autres unités, *Wîsheit* et *Kunst*. Le savoir se subdivise maintenant en trois parties distinctes : les sphères supérieures de la connaissance *(Kunst)* ; le savoir en général, et l'habileté et la capacité technique en particulier *(Wizzen)* ; et la sagesse spirituelle *(Wîsheit)*. Vers 1300 c'est le début de la séparation de la science et de la technique en même temps que l'abandon d'une appréciation sociale de ces domaines. Ce renouvellement dans le domaine conceptuel et, partant, dans celui du lexique, pourrait être ainsi schématisé :

Telles sont donc, *grosso modo*, les données à partir desquelles Trier élabore sa conception sémantique.

Cette conception fait appel à un certain nombre de postulats qu'il convient maintenant d'expliciter. Et cela, non pas pour venir grossir le nombre déjà important d'études sur Trier, mais pour servir de prétexte, en quelque sorte, aux discussions que nous voudrions mener, en particulier au cours des trois premiers chapitres, sur un certain nombre de problèmes relatifs aux champs sémantiques, problèmes toujours d'actualité mais déjà contenus en germe dans l'hypothèse fondamentale de Trier. Les postulats qui se dégagent sont les suivants (l'ordre de présentation est non pertinent) :

— il existe, antérieurement à la structuration linguistique formelle, une certaine organisation non linguistique de l'expérience humaine;
— la totalité du lexique d'une langue se présente comme une hiérarchisation de champs lexicaux juxtaposés, sans lacune ni chevauchement;
— un mot n'acquiert de signification que par opposition aux autres unités du même champ.

A) *L'organisation du réel*

Pour mieux saisir la nature exacte des champs sémantiques de Trier, il suffit de comparer sa conception à la thèse opposée, à savoir, « la théorie de la copie ». Suivant cette dernière, le réel aurait une existence objective et sa structuration serait une donnée de fait. Autrement dit, non seulement le monde réel existerait en dehors de la conscience de l'homme, mais les faits réels, tant matériels que sociaux, économiques ou intellectuels, comporteraient en eux-mêmes le principe de leur organisation. La conscience serait le fruit d'un enregistrement passif de l'organisation du réel, l'intériorisation en quelque sorte du monde extérieur, sans que ce dernier subisse la moindre modification au cours de cette phase d'appropriation. Les idées, qui préexisteraient aux mots, ne seraient que le reflet exact du monde réel. Quant au lexique d'une langue, il consisterait en un répertoire de mots, reflets directs des idées, elles-mêmes miroir des catégories d'objets parfaitement distingués en eux-mêmes dans le monde réel. Ce qui reviendrait à dire que le langage ne serait qu'un calque de la réalité, les différences entre les langues étant simplement expliquées par une différence de degrés dans le reflet des déterminations préexistantes du réel. Telle est la conception naïve du langage à laquelle Trier — tout comme Saussure avant lui — allait faire échec.

Trier ne va cependant pas jusqu'à nier l'existence même du monde réel. Pour lui, le réel est une donnée de fait. Toutefois, à la différence de la plupart de ses devanciers en linguistique, il ne croit pas que l'organisation du réel soit le fait de la réalité elle-même. C'est précisément le rôle du langage que de contribuer à créer une image de la réalité, à en donner une représentation. De plus, l'organisation du réel imposée par la langue couvrirait toute la réalité sans exception : « Chaque langue, écrit Trier, est un système qui opère une sélection au travers et aux dépens de la réalité objective. En fait, chaque langue crée une image de la réalité, complète, et qui se suffit à elle-même. Chaque langue structure la réalité à sa propre façon et, par là même, établit les éléments de la réalité qui sont particuliers à cette langue donnée » (1934, cité par Mounin, 1963, p. 44). Par cette conception Trier apparaît bien comme le contemporain de Cassirer — dont l'article bien connu sur « Le langage et la construction du monde des objets » date de 1933 — et se situe bien dans la ligne de pensée de Humboldt, selon lequel le langage et la pensée se conditionnent réciproquement.

Mais — et c'est ce qui fait en grande partie son originalité par rapport à Humboldt et à Cassirer — Trier insiste sur le caractère proprement structural de cette organisation du réel. En effet, il se refuse à traiter des rapports entre le langage et la pensée en termes d'unités, à la fois linguistiques et conceptuelles, conçues comme des entités distinctes et isolées. Ce qu'il met surtout en valeur c'est l'idée que la vision du monde imposée par la langue procède d'une « matrice structurelle » en fonction de laquelle sont reliées ou distinguées, comparées ou opposées, les données de la réalité : « Naturellement, dans ce qui précède, est impliquée comme évidente l'idée que rien dans le langage n'existe de manière indépendante. Dans la mesure où la structuration constitue l'essence fonda-

mentale du langage, tous les éléments linguistiques sont
des résultats de cette structuration » (*ibid.*, p. 45). C'est
ainsi que Trier appelle *champs conceptuels* les organisations
au niveau de la pensée, et *champs lexicaux* les organisations
au niveau de la langue.

B) *Champs conceptuels et champs lexicaux*

Trier ne s'arrête pas là. Il va jusqu'à affirmer qu'il y a
correspondance exacte, point par point, entre les champs
conceptuels et les champs lexicaux d'une langue donnée.
Autrement dit, les liens entre les mots parallélisent les
liens entre les concepts : à tout champ conceptuel correspond un champ lexical de sorte que tout changement dans
les limites des concepts entraîne nécessairement des modifications correspondantes au niveau des mots. Pour Trier,
toute modification de concept n'entraîne pas automatique-
ment le rejet ou l'abandon du mot correspondant. Cela
n'est pas impossible, mais ce sont surtout, à l'intérieur
d'un domaine ou champ donné, les limites entre les
concepts, et partant entre les mots, qui sont modifiées.
Par exemple, dans le vocabulaire allemand de la connaissance, deux des trois mots qui ont cours au début du
XIIIᵉ siècle, *Kunst* (l'art) et *Wîsheit* (la sagesse), réapparaissent au siècle suivant. Pourtant, les rapports entre les
concepts correspondant à *Kunst* et à *Wîsheit* ne sont plus
du tout les mêmes. Par contre, le mot *List* (l'artifice) a fait
place à une nouvelle unité lexicale, *Wizzen* (le savoir).

I / *Sémasiologie et onomasiologie.* — L'hypothèse de Trier
soulève donc en particulier le problème complexe de la
relation entre champs conceptuels et champs lexicaux,
c'est-à-dire, en définitive, de la relation entre le langage
et la pensée. Il y a plusieurs façons d'aborder cette délicate
question. Prenons par exemple la démarche adoptée par
K. Heger et K. Baldinger. Pour eux, le problème se situe
dans le cadre d'une distinction entre la sémasiologie (étude

qui part d'un *monème* et en cherche la structure interne en étudiant la multiplicité de ses significations) et l'onomasiologie (étude qui part d'un *concept* donné et en cherche les différentes réalisations linguistiques dans une ou plusieurs langues). Il faudrait toutefois se garder de croire que l'onomasiologie n'est rien d'autre que le simple reflet tautologique de la sémasiologie. L'onomasiologie dont il est question, de caractère structural, présuppose la distinction entre signifié et concept. Cela signifie qu'il est nécessaire d'admettre comme point de départ de toute étude onomasiologique l'existence d'unités indépendantes des structures immanentes d'une langue donnée. Ce sont ces unités qui sont appelées des concepts. Suivant la terminologie hjelmslévienne le concept se situe sur le plan de la substance du contenu et le signifié sur le plan de la forme du contenu. Se pose dès lors le problème de prouver l'indépendance des unités conceptuelles vis-à-vis de la structure immanente d'une langue donnée. L'on ne saurait évidemment, pour cela, recourir aux monèmes. La seule façon de prouver l'autonomie des concepts par rapport aux signifiés proprement linguistiques consiste, d'après Heger, à partir non pas du concept isolé, mais bien des relations des concepts entre eux (1968, p. 20). Par système de relations conceptuelles il faut entendre les définitions par genre prochain et différence spécifique, la division exhaustive d'un genre par l'introduction d'une différence spécifique et sa négation (formant alors une opposition contradictoire), ou encore tout système logique de relations fondé sur des prémisses axiomatiques (1965, p. 19).

L'onomasiologie structurale dont il est ici question s'intéresse autant à la comparaison entre structure immanente et structure conceptuelle qu'à la comparaison, sur le plan du contenu, entre plusieurs systèmes linguistiques différents. Elle se présente comme une méthode à la fois autonome et complémentaire de la sémasiologie. Ce qui la caractérise c'est qu'elle présuppose l'existence d'une pyramide de concepts ou d'un système logique de relations.

Cela ne signifie pas pour autant, fait remarquer Heger, que les unités conceptuelles soient indépendantes du langage humain en tant que tel. Elles ne sont indépendantes que de la structure immanente et particulière d'une langue donnée. Quant au signifié, il se définit à la fois par son lien indissoluble avec le signifiant (sa « relation de consubstantialité quantitative », écrit Heger) et par son appartenance au plan des unités conceptuelles. Le signifié et le concept appartiennent tous deux au plan des unités conceptuelles (ou substance du contenu), mais seul le signifié entretient un lien avec les formes linguistiques d'une langue donnée (ou forme du contenu).

Pour illustrer la distinction entre signifié et concept, Heger prend l'exemple du couple *soixante-dix/septante* dans lequel on trouverait l'existence de deux désignations pour un même concept /« 70 »/ (1965, p. 24). Un autre exemple nous est fourni par B. Pottier lorsqu'il constate qu'à un archisémème dégagé par analyse peut ne pas correspondre une expression lexicale : ainsi, l'archisémème « objet sur lequel on monte », obtenu par le groupement d'unités comme *échelle, escabeau, marche-pied, étrier*, etc., n'est désigné en français par aucun archilexème (Pottier, 1963, p. 17). Egalement, l'étude faite par Geckeler du champ sémantique de l'âge en français moderne a permis de mettre en évidence l'absence d'un archilexème servant à désigner l'ensemble des termes *vieux, ancien, âgé, jeune, neuf*, etc. (Geckeler, *c* 1971, 1976, p. 233). Enfin, le fait que l'on puisse comparer, comme l'a fait J. C. Catford (1965, pp. 40 et sq.), les formes anglaises *yes* et *no* avec les formes françaises *oui, si* et *non*, présuppose un *tertium comparationis* qui serait formé d'un cadre conceptuel indépendant des langues étudiées (Heger, 1965, p. 9, et Baldinger, 1970, p. 107).

Le problème fondamental qui se pose avec cette façon d'aborder la question est qu'avant d'adhérer à ces vues il faut d'abord en accepter le postulat de base, c'est-à-dire reconnaître que le concept puisse effectivement exister indépendamment des langues particulières. Comme on l'a vu, pour prouver l'indépendance du concept, Heger suggère de partir des relations qui lient plusieurs concepts entre eux plutôt que du concept isolé, étant donné qu'on ne saurait parler d'un concept sans recourir à un monème quelconque. Concrètement cela signifie, dans le cas du concept « se souvenir » par exemple, partir d'une définition de ce concept : « Présence psychique de quelque chose appartenant au passé dans la mémoire d'un être vivant » (Baldinger, 1966, p. 15). Prenant appui sur cette définition, Baldinger en arrive alors à constituer un système conceptuel de relations logiques fondées sur des oppositions du type « mémoire volontaire » / « mémoire involontaire », « souvenir comme acte » / « souvenir comme état », etc. Le système étant alors formalisé, il ne reste plus qu'à confronter à ce schéma les énoncés réels d'une langue quelconque.

En dépit de l'ingéniosité dont font preuve Heger et Baldinger dans leur argumentation théorique (et Baldinger dans son illustration avec le concept « se souvenir »), il reste que le bien-fondé de leur position nous paraît quand même fragile. En effet, reconnaître l'existence des concepts indépendamment des langues particulières ne revient-il pas en définitive à admettre l'existence d'universaux sur lesquels peu de gens s'entendent ? N'est-ce pas, du même coup, faire abstraction de l'influence possible du langage sur la formation même des concepts ? Le fait d'évacuer ainsi toute substance du contenu hors du domaine de la linguistique pose à notre avis de nouveaux problèmes qui ne devraient pas être passés sous silence. Par exemple, quelle est la nature du signifié linguistique ? Dans la mesure où l'on peut postuler que le signifié appartient, tout comme le concept, au plan de la substance du contenu, il est à se demander en quoi le signifié se distingue véritablement du concept. Si le signifié est un concept qui entretient des relations avec une langue donnée, ne se confond-il pas, sur le plan de la substance du contenu, avec le concept ? Comment dès lors le concept

peut-il être dit indépendant de toute langue donnée ?
Comment, après certaines observations de B. L. Whorf,
en arriver à démontrer de façon totalement convaincante
que le concept n'est lié d'aucune manière à la structure
de chaque langue ? En somme, Heger et Baldinger ont le
mérite de poser en termes assez neufs le problème des
rapports entre le langage et la pensée. En ce sens, pareille
tentative mérite d'être poursuivie. Toutefois, pour l'instant,
leur démarche ne paraît pas apporter de solution pleinement satisfaisante.

II / *Correspondance entre champ lexical et champ conceptuel.* —
Une autre façon d'aborder le problème complexe des
rapports entre le langage et la pensée consiste à se demander
s'il est possible de concevoir *a priori* un champ conceptuel.
Suzanne Öhman fait remarquer que, dans le domaine
des unités de mesure, il est tout à fait possible de connaître
le système de conversion d'une autre langue sans que l'on
puisse, pour autant, transposer correctement ces connaissances intellectuelles dans la vie quotidienne. Une observation semblable se vérifie dans le cas des Canadiens qui,
habitués depuis toujours à mesurer les distances en milles,
se sont vu imposer récemment (en 1977) le système
métrique. Même en connaissant bien les règles de conversion d'un système à l'autre, la majorité des Canadiens,
quelques années plus tard, en sont encore à calculer selon
le mode traditionnel. Tout porte à croire qu'il faudra
encore beaucoup de temps pour que l'ensemble de la
population puisse recourir spontanément aux nouvelles
unités de mesure. Il en va de même d'ailleurs des unités
de température : comment en arriver à passer rapidement
des degrés exprimés jusqu'ici en Fahrenheit aux degrés
Celsius sans une longue pratique ? En France, après une
quinzaine d'années de mise en vigueur du calcul en francs
nouveaux, il se trouve encore des gens qui continuent à
compter en anciens francs. Il y a quelques années, une
étude de E. Haugen (1957) portant sur les termes de

direction géographique utilisés en Islande a abouti à cette
conclusion que les termes utilisés à terre (et non en mer)
par les Islandais coïncident davantage avec la topographie
de l'île (ce qui est proche par opposition à ce qui est
perçu comme lointain) qu'avec les points cardinaux (nord,
sud, est et ouest). Cette analyse illustre la possibilité d'une
absence de correspondance entre un champ lexical et un
champ conceptuel. Tous ces faits montrent que, à l'encontre de l'hypothèse de Trier, un champ conceptuel
comme celui des distances, des températures, de la mon-
naie ou de la direction peut n'être pas lié directement à
un champ linguistique, sinon le maniement d'un *nouveau*
système sémantique d'unités ne présenterait aucune difficulté pratique. Ce qui manque dans ces cas à la compo-
sante intellectuelle de la signification, c'est une pratique
sociale, une expérience quotidienne de ces notions.

III | *Mots de langues différentes.* — On peut également,
afin d'apporter plus de précisions à ce problème, comparer
entre eux quelques mots de langues différentes. Par exemple,
en anglais, *grape* désigne le fruit même de la vigne alors
que *raisin* désigne le raisin sec. Suivant les vues de Trier,
il y aurait là deux concepts, celui du raisin sec et celui
du fruit de la vigne, auxquels correspondent les deux mots
anglais *raisin* et *grape*. En français, toutefois, comme on ne
trouve pas de distinction de ce type, devra-t-on dire qu'à
un seul mot, *raisin*, correspondent deux concepts ? Il en va
de même pour l'espagnol qui distingue entre le poisson
vivant dans l'eau et le poisson destiné à la consommation,
au moyen des mots *pez* et *pescado* respectivement, contrairement au français qui ne dispose que de l'unique mot
poisson. Est-ce à dire qu'en français le concept de poisson
coïncide exactement avec les deux concepts réunis de
l'espagnol ? Est-ce qu'une seule unité lexicale, *poisson*,
correspond à deux notions distinctes ? Et s'il existait une
troisième langue qui distinguait entre trois concepts de
poisson, comme par exemple le poisson qui vit dans l'eau,

le poisson que l'on pêche, et le poisson que l'on consomme ? Mais il est inutile de recourir à pareils cas fictifs. Que l'on songe, par exemple, au mot français *palmier*. Cette unité lexicale désigne-t-elle soixante concepts distincts puisque les langues africaines connaissent une soixantaine d'espèces de palmiers ? Même difficulté dans le cas du mot *neige* : ce terme correspond-il, en français, à une seule idée globale ou à autant de concepts qu'il y a de mots différents pour désigner la neige en eskimo : la neige qui tombe, la neige au sol, la neige durcie, la neige molle, la neige poudreuse, etc. ?

Surgit alors un nouveau problème. Si « la neige qui tombe » est considéré en eskimo comme un concept unique, parce que correspondant à un terme unique dans cette langue, devra-t-on conclure que dans une autre langue, comme le français, un concept unique — en supposant que c'est bien de cela dont il s'agit —, celui de « la neige qui tombe », peut être actualisé au moyen d'une unité linguistique autre que ce que l'on appelle communément un mot ? Dans le cas de synthèmes du type *pomme de terre* ou *chaise longue*, qui ont un comportement identique au monème — pour reprendre la terminologie de Martinet —, on conçoit qu'il puisse y avoir correspondance entre concept et unité lexicale, monème ou synthème. Mais dans le cas de syntagmes comme « neige qui tombe », « neige au sol », « neige durcie », etc., si l'on penche en faveur d'une interprétation qui en fait, en français, des concepts distincts, qu'arrive-t-il alors au monème *neige* ? Devra-t-il être amputé de ses concepts « qui tombe » et « au sol », auquel cas il faudra se demander en quoi consiste le contenu qui reste à *neige*. Si, par contre, ces syntagmes sont considérés comme des unités qui correspondent non à des notions distinctes, mais à un groupement de concepts (celui de la neige et celui de ce qui est entraîné vers le sol, celui de neige et celui de sol, etc.), on en arrive alors à cette idée que les concepts de neige, en français et en eskimo, ne coïncident d'aucune façon. C'est ainsi que, par le biais de ces interrogations suscitées par l'hypothèse de Trier, nous redécouvrons le problème du découpage de la réalité propre à chaque langue. Ou, si l'on veut, le problème de ce que l'on appelle communément l'« hypothèse de Sapir-Whorf », ou tout simplement l'« hypothèse de Whorf ». Le problème étant ainsi posé, il convient donc de l'aborder dès maintenant en ces termes.

2. LEXIQUE ET VISION DU MONDE

L'hypothèse de Whorf peut s'énoncer ainsi : les structures linguistiques conditionnent, c'est-à-dire prédéterminent, orientent et même organisent notre vision du monde. Comme cette hypothèse sur l'influence de la langue sur la pensée a déjà donné lieu à nombre de commentaires et de critiques, il ne saurait donc être question ici de reprendre en entier cette question controversée. Nous nous contenterons de n'en discuter que les deux aspects suivants, seuls pertinents pour notre propos : dans quelle mesure est-il juste d'affirmer que les structures linguistiques organisent notre vision du monde ? Et comment peut-on échapper à la circularité constatée par Whorf ?

Les analyses de Whorf sont minutieuses et toujours intéressantes; par contre, les conclusions ou généralisations qu'il en tire restent peu convaincantes. Tel est le jugement sévère mais juste auquel aboutit Mounin dans son compte rendu analytique de l'ouvrage de Whorf (1975, pp. 132-135, et tout le chapitre XI intitulé : « A propos de « Language, thought and reality » de Benjamin Lee Whorf », pp. 171-190). En effet, les généralisations abusives de Whorf laissent entendre que certaines visions du monde, dans les langues amérindiennes, seraient tout à fait inaccessibles à d'autres peuples. Pourtant, il n'en est rien. Par exemple, il serait erroné de croire qu'une langue comme le français ne puisse nullement exprimer des *aspects* comme le duratif ou le momentané, à l'aide de noms, comme c'est le cas en nootka, en kwakjutl et en nitinat. Dans ces langues,

on trouve des aspects autant dans des noms comme *maison*
que dans des verbes comme *courir* parce que, fait observer
Whorf, ce sont des mots d'importance. Toutefois, si l'on
examine bien ce qui se passe en français, comme le fait
Mounin à la suite de Martinet, l'on se rend vite compte
que la catégorie grammaticale de l'aspect, associée au
verbe, peut également se retrouver dans certains noms ou
groupes nominaux. L'aspect est nominal dans des mots
ou groupes de mots comme *semence, blé mûr, veau de lait,
nouveau-né, fiancée, nouvelle mariée*, etc.; ou encore, comment
ne pas voir de marques nominales temporelles dans des
unités comme *futur gendre, gendre, jeune maman, maman*, etc. ?
Ainsi, conclut Mounin à la suite de ses pertinentes observations, les visions du monde apparemment propres aux
langues amérindiennes sont tout autant accessibles au
français, à cette différence près que le français exprime
par ses options, au niveau lexical, ce que le hopi exprime
par ses servitudes grammaticales (p. 182). A l'inverse,
continue Mounin en en faisant la démonstration à l'aide
d'exemples probants, si un linguiste hopi analysait les
structures du français à la lumière de sa propre langue,
il en dégagerait à coup sûr bon nombre de visions du
monde à caractère « exotique ». Ces remarques sont d'une
importance capitale pour la sémantique car, dans la
mesure où elles sont justes — et il semble bien qu'elles le
soient —, elles signifient qu'il « n'existe pas [de] rapport
univoque, entre structures linguistiques et « visions du
monde », que postulent implicitement toutes les déductions
de Whorf » (p. 176). Ainsi, réduites à leur dimension
réelle, les analyses empiriques de Whorf ne font que
confirmer, dans le cas des langues amérindiennes cette
fois, un fait bien connu dans le domaine de la linguistique,
à savoir, que chaque langue constitue un découpage
particulier de la réalité.

Toutefois, souligne en outre Mounin, l'hypothèse de
Whorf peut se vérifier dans quelques cas. D'une part,
certaines de ses analyses, notamment celles qui sont

fondées sur son expérience d'assureur incendie, montrent bien jusqu'à quel point l'emploi de certains mots guide ou *oriente* notre conduite — sans qu'il soit question de l'organisation même de notre vision du monde. D'autre part, l'hypothèse de Whorf, même dans son aspect le plus aléatoire, se vérifie quelquefois dans un autre domaine, celui de la recherche scientifique. C'est ainsi que pour montrer combien Whorf a raison sur certains points, Mounin (p. 134) rapporte le cas des mots *surface* en mathématiques, *code* en linguistique, et *langage* en sémiologie, termes dont l'usage dans leur domaine respectif a longtemps imposé une certaine vision du monde, empêchant ainsi leurs auteurs de saisir la véritable nature scientifique des phénomènes étudiés. Par exemple, lorsque Julia Joyaux suggère qu'étant donné le succès de la linguistique à se construire comme une science exacte, il suffit aux autres sciences humaines de « transposer » les méthodes de la linguistique « dans les autres domaines de l'activité humaine, en commençant par les considérer comme des langages » (*Le langage, cet inconnu*, Paris, SGPP, 1969, p. 285), ne risque-t-elle pas de retarder la saisie par les sémiologues des particularités d'organisation de systèmes sémiologiques comme la peinture, la musique, le cinéma, etc., en posant *a priori* que ceux-ci fonctionnent comme le langage humain ? Il serait vain de multiplier les exemples de ce type, déjà suffisamment convaincants.

Nous voudrions plutôt, de notre côté, attirer l'attention sur un domaine connexe, celui des métaphores ou des comparaisons qui sont d'un usage fréquent dans les recherches portant précisément sur la sémantique structurale. Dans quelle mesure les images du champ et de la mosaïque ont-elles obnubilé la conception de Trier au point de lui laisser croire à l'absence de toute lacune ou de tout chevauchement entre les mots ? La comparaison de la structure du lexique à une espèce de filet dont les mailles sont interdépendantes, mentionnée par Hjelmslev (*c* 1943, 1968, p. 81) et utilisée à plusieurs reprises par

Mounin (1963, pp. 23 et sq.), sera-t-elle plus heureuse ?
Que dire de la métaphore de Coseriu selon laquelle le
lexique d'une langue serait semblable à « un édifice complexe,
à plusieurs étages et avec beaucoup de cases vides aux
différents étages » (1976, p. 21) ? Que penser de l'image
de Granger, qui fait voir la structure lexicale comme une
« organisation feuilletée et mobile » (1968, p. 185) ? Ces
comparaisons, toutes destinées à remplacer celle du champ
ou de la mosaïque de Trier, connaîtront-elles un meilleur
sort ? Le recours à ces nouvelles métaphores ne risque-t-il
pas d'imposer à leurs auteurs, suivant l'hypothèse même
de Whorf, une vision trompeuse — ou heureuse, qui
sait ? — de la réalité lexicale ? Peut-on parler, sans risque
de devenir prisonnier de ses mots, d'un « découpage »
de la réalité ?

Si l'on pousse encore plus loin la réflexion, au-delà de
ce que G. Matoré appelle les « métaphores lexicalisées »,
que se passe-t-il ? Il semble que l'on puisse alors réussir à
mettre en évidence, toujours dans le domaine scientifique,
des visions du monde qui ne soient pas exclusivement le
produit du langage. Prenons le cas de l'homme de science
qui, afin de mieux expliciter sa pensée, recourt non plus à
des métaphores ou à des comparaisons, mais à des diagrammes ou à des schémas. N'est-ce pas ce qui se produit
chez Saussure, par exemple, lorsqu'il montre, pour mieux
faire voir le mécanisme du conditionnement réciproque
de la langue et de la pensée, un schéma de l'air en contact
avec une nappe d'eau ? N'est-ce pas ce qui s'est passé,
également, chez les linguistes qui ont déjà pensé que le
schéma de la théorie de la communication pouvait leur
être de quelque bénéfice, mais qui n'ont réussi qu'à faire
croire que dans une langue tout fonctionnait de façon
aussi simpliste que le laissaient croire leurs dessins soi-disant
explicatifs ? Dans tous les cas de ce genre, il semble bien
que les diagrammes, schémas, graphiques ou dessins de
toutes sortes puissent être considérés comme des manifestations concrètes de l'existence de visions du monde qui

ne reposent pas de façon immédiate sur le langage. C'est ainsi que, par le biais de ces réflexions, nous en arrivons à nous reposer la question de la possibilité de l'existence de la pensée sans le langage. Nous nous en tiendrons ici à la conclusion qui se dégage de l'étude de cette question faite récemment par Mounin dans la troisième partie de *Linguistique et philosophie*, précisément intitulée : « Le langage et la pensée » (1975, pp. 121-142) : « Ces observations conduisent à bien marquer, d'une part, qu'il n'y a pas de coupure abrupte, métaphysique et fixiste, entre pensée sans langage et pensée verbalisée, mais un passage graduel, hasardeux, tâtonnant, continu, de l'une à l'autre ; et, d'autre part, que la stylistique, l'étude de l'écart linguistique individuel, repère un de ces passages permanents de l'inexprimé à l'exprimé, c'est-à-dire du vécu individuel ineffable au même vécu verbalisé, donc socialisable » (pp. 131-132). De toute manière, là où il y a « pensée verbalisée », il ressort clairement de ce qui précède que la pensée n'est que *parfois* organisée par la langue, ce qui est en fait revenir, à peu de choses près, à la position prudente d'Edward Sapir, maître de Whorf.

3. LANGUE ET FAITS DE CULTURE

Le deuxième aspect que nous voudrions maintenant prendre en considération concerne la circularité invoquée par Whorf. Pour celui-ci, en effet, il y a tout un jeu d' « influences réciproques » entre la langue et la culture d'un peuple. C'est en ce sens qu'il y a circularité. Il est cependant à noter que, en dépit du flou de sa pensée sur ce point pourtant capital, Whorf se refuse à poser le problème en termes de « corrélations » entre structures linguistiques et normes sociales : « Je serais le dernier, écrit-il, à prétendre qu'il existe quoi que ce soit d'aussi défini qu'une « corrélation » entre la culture et la langue, et en particulier entre des problèmes ethnologiques du genre de ceux que posent des « peuples de chasseurs », d' « agriculteurs », etc., et des problèmes linguistiques comme les langues « à flexion », « synthétiques » ou « isolantes » » (*c* 1956, 1969, pp. 79-80). « L'idée de « corrélation », précise-t-il — dans le sens qu'on donne généralement à ce mot —, entre la culture et la langue constitue certainement un concept erroné » (*ibid.*, p. 80, n. 1). De façon évidente, Whorf tente d'échapper à l'objection de la « pétition de principe » (ou cercle vicieux). C'est pourquoi il se contente, sur cette délicate question, de parler d' « influences réciproques », de « cycles d'influences », de « conditionnement », de « rapports », et d' « interpénétrations » entre la langue et la culture. Il importe peu, pour notre propos, que le cercle dans lequel Whorf s'est enfermé soit ou non un cercle « vicieux ». Seul importe ici le fait d'une certaine circularité. Dans le cas de l'hypothèse de Trier, on note là aussi une circularité avouée.

Le problème n'est donc pas simple. Ainsi, même si Trier et ses disciples font une distinction entre champs lexicaux et champs conceptuels, ces derniers s'identifient toujours. Pour mieux saisir la complexité de ce phénomène, demandons-nous si le champ sémantique composé des unités *Kunst*, *Wîsheit* et *Wizzen*, au xIVe siècle, aurait pu exister dès le xIIIe siècle à la place de *Kunst*, *Wîsheit* et *List*, et *vice versa*. Si seul le lexique d'une langue conditionnait la vision du monde, ne s'agirait-il pas d'affirmer que la présence, dès 1200, des termes *Kunst*, *Wîsheit* et *Wizzen* aurait été suffisante pour que le champ conceptuel de la connaissance comprenne, comme on l'a vu, trois parties : les sphères supérieures de la connaissance *(Kunst)*; le savoir en général, et l'habileté et la capacité technique en particulier *(Wizzen)*; et la sagesse spirituelle *(Wîsheit)*. Si l'absurdité de pareil raisonnement saute aux yeux, c'est que nous savons très bien, aujourd'hui, que la séparation de la science et de la technique, ainsi que l'abandon d'une appréciation sociale de ces domaines, ne s'est produite que vers 1300 dans la société allemande. Tel est précisément le cœur du problème. On ne saurait, comme le font Whorf et Trier, traiter de la vision du monde exclusivement en termes linguistiques et conceptuels. Un troisième facteur doit nécessairement entrer en ligne de compte : la réalité. Est-ce à dire que le réel est structuré en soi ? Comme le fait remarquer pertinemment M. Paradis dans *Relativité linguistique et philosophie*, la vraie question à poser n'est pas celle de savoir s'il y a, ou non, un monde antérieur au langage, mais bien s'il y a, ou non, un monde « tout découpé », antérieurement au langage (1974, p. 90). Le monde réel, reconnaît Trier, existe indépendamment de l'homme. Mais cette réalité, d'une part évolue, d'autre part façonne le lexique d'une langue.

En effet, avec l'apparition de nouvelles techniques, le perfectionnement des outils, etc., une société évolue. Grâce à un ensemble de facteurs extra-linguistiques aussi complexes les uns que les autres, ce que l'on appelle la culture dans le sens le plus général du terme, tant dans ses aspects matériels que techniques, sociaux, intellectuels, idéologiques, ou autres, est un phénomène dynamique. Une société n'est pas statique. De plus, la culture d'un peuple n'est pas sans se refléter au moins dans son lexique. La culture évolue, la langue également. Par exemple, si au XIIIᵉ siècle la science avait occupé la place qu'elle occupe aujourd'hui dans la vie de l'homme aux côtés, disons, de l'art ou de la culture, il est probable que pareil état de fait aurait eu des répercussions dès cette époque — comme c'est le cas de nos jours — sur les plans linguistique et conceptuel. Tout le champ sémantique de la connaissance s'en serait trouvé modifié, entraînant ainsi, par contrecoup, une transformation de la vision du monde. Ce n'est que par un examen de l'influence de la culture sur le langage qu'il paraît possible d'échapper au cercle dont il est question chez Trier et chez Whorf. N'est-ce pas, d'ailleurs, ce que voulait dire Hjelmslev lorsque, dès 1957, il écrivait : « La description de la substance du contenu doit... consister avant tout en un rapprochement de la

langue aux autres institutions sociales, et constituer le
point de contact entre la linguistique et les autres branches
de l'anthropologie sociale » (c 1957, 1971, p. 118) ? C'est
ce qui explique, continue-t-il, que la description sémantique
du « chien », par exemple, ne saurait être la même pour les
Eskimos, les Perses, les Hindous, et nos sociétés occiden-
tales, puisqu'il s'agit dans chaque cas d'une réalité perçue
différemment : un animal de trait, un animal sacré, un
animal réprouvé comme paria, et un animal domestique.

A) *Le plan grammatical*

Toutefois, il faudrait se garder de croire qu'il existe une
corrélation nécessaire et immédiate entre la culture et la
langue d'un peuple. Un certain nombre de précisions
s'imposent ici. Tout d'abord, pour la clarté de l'exposé,
faisons une distinction entre les plans grammatical et
lexical. Sur le plan grammatical, examinons comme
exemple le cas du malais. On ne saurait mieux décrire que
ne l'a fait le grand écrivain français L. Aragon la diversité
d'usage de ce qui correspond, en français, aux pronoms
personnels. C'est pourquoi nous nous permettons de la
citer en entier sur cette question : « Le *je*, c'est pis que
pour les romans, entre personnes égales, à se poliment
parler, on dit *saya*, on écrit dans les livres *sahaya*. Entre
Malais s'entend, comme entre Malais et Européens.
Mais... le *je*... s'adressant à un Rajah se dira *patek*, et si
nous sommes entre Malais, en langage familier, *aku*... mais
beta, par écrit, entre personnages officiels du cru. Quant
au pronom vocatif, le *vous* (il n'y a pas de *tu*), la relation
entre celui qui parle et l'autre se complique : un Malais
parlant à un Européen dit *tuan*, à une dame européenne
mem, à une dame chinoise *nyonya*... mais s'il parle à un
Rajah ce sera *engku*, à un prince régnant *tuanku*, à un
simple chef malais *dato*, à un Chinois né en Malaisie *baba*,
à un banquier chinois *tanke*, à un Chinois quelconque ou
à un Tamoul quel qu'il soit, de l'Inde ou de Ceylan,

çivaïste, djaïmite ou bouddhiste... Mais si vous parlez pour une assemblée de Malais vous direz *angkau*, entre gens de même rang *entchek*, et par écrit des personnages officiels se diront *sehabat-beta*... Ce qui n'est encore rien : car, dans la correspondance, le pronom porte entre amis et parents le caractère de la parenté ou de l'amitié, variant avec l'âge... Par exemple : vous écrivez à votre frère cadet, à un jeune cousin, un jeune beau-frère, le *vous* employé sera *adinda*, et sous sa plume à lui *adinda* signifiera *je*, s'adressant à vous. De même avec un jeune ami, si la différence d'âge est de faible importance. Tandis que votre frère aîné (ou sœur aînée), un cousin, un beau-frère ou belle-sœur plus âgés, un ami d'une tout autre génération, vous écriront *kakanda* pour *je*, et ce mot sous votre plume à leur adresse signifiera *vous*. Un fils, une fille, un neveu ou une nièce, un beau-fils, une belle-fille, un très jeune ami se désigneront par *anakanda* qui sera le mot qui, sous votre plume, signifiera *vous* à leur égard. Dans les rapports écrits d'un père, d'un oncle, d'un beau-père, d'un ami âgé avec qui l'on correspond, *je* se dira *ayahanda* et leurs correspondants emploieront ce mot avec le sens de *vous*. Dans les relations analogues avec des personnes du sexe, une mère, une tante, une belle-mère, une dame d'âge, le même rôle est joué par le mot *bonda*... » (Aragon, *Blanche ou l'oubli*, 1967, pp. 84-85).

Il ressort de cet exemple que la diversité d'usage de certaines formes grammaticales du malais ne peut qu'être le reflet de la complexité des rapports humains entre Malais et entre Malais et Européens. Il serait cependant abusif d'en conclure que tout fait linguistique doive être *ipso facto* mis en corrélation avec le fait social. Une langue étant un phénomène social, il est vrai que les changements qu'elle subit sont de caractère social. Toutefois, comme l'a déjà fait observer A. Sommerfelt (1967), cela ne signifie pas qu'il y ait dépendance directe entre une structure linguistique et la société qui recourt à cette structure. Pour prouver l'existence de pareil parallélisme, il faudrait démontrer qu'à des structures grammaticales de deux langues différentes correspondent deux structures sociales différentes. C'est pourtant un fait bien attesté que même si une société subit des changements révolutionnaires dans sa structure sociale, la structure morphologique de sa langue n'est pas pour autant modifiée. Dans les sociétés de chasseurs et de pêcheurs, continue Sommerfelt, où il n'y a rien à compter, il n'y a pas de noms de nombre; à l'inverse, même les peuples dits « primitifs » qui ont besoin de compter leurs produits ont une catégorie de noms de nombre dans leur langue. Ces propos rejoignent d'ailleurs en tout point ceux de Marcel Cohen qui invite à la prudence sur cette question, à partir de cette constatation qu'il y a toujours un décalage dans le temps entre la révolution dans une structure politique et la révolution correspondante, si révolution il y a, dans le langage (*Histoire d'une langue: le français*, Paris, Editions Sociales, *c* 1947, 1973, 4ᵉ édition revue et mise à jour, p. 37). Tout ce que l'on peut légitimement supposer lorsqu'il est question de structure sociale et de structures morphologiques, « c'est que la création d'une catégorie nouvelle répond à un besoin social » (Sommerfelt, 1967, p. 192). La grammaire (et la phonologie) d'une langue évoluent avec un retard considérable par rapport à la réalité.

B) *Le plan lexical*

Qu'en est-il, dès lors, du plan proprement lexical ? Dans la plupart des cas il semble y avoir une certaine correspondance entre la variété d'expérience d'un peuple (expérience pratique, sociale, idéologique, etc.) et la variété de son découpage lexical. Ainsi, c'est parce que les gauchos argentins ont une expérience des chevaux beaucoup plus riche que celle des Français qu'ils comptent 200 expressions pour désigner les différents pelages des chevaux (d'après K. Vossler, cité par Basilius, 1952, p. 101). C'est parce que en Afrique le palmier est une réalité d'importance que les langues africaines ont recours à une soixantaine de termes pour rendre compte de ce phénomène. C'est parce que les Eskimos ont une expérience de la neige beaucoup plus vaste que la nôtre qu'ils comptent de nombreux termes pour qualifier leur expérience.

Ainsi, sur le plan lexical, tout porte à croire qu'à une variété d'expérience correspond « sans doute presque toujours » — pour reprendre la formulation prudente de Mounin (1975, p. 135) — une variété de découpage linguistique de la réalité. Une expérience au degré élevé de complexité donne lieu, en nous fiant aux cas attestés jusqu'ici, à un champ sémantique de grande complexité. S'il en était autrement, l'on pourrait facilement concevoir un peuple dont le principal moyen de subsistance serait le poisson et qui ne disposerait sur le plan lexical que d'un seul terme pour désigner cette réalité. Cela paraît cependant peu probable. A l'inverse, il semble difficile, pour ne pas dire impossible, de croire qu'un peuple puisse disposer dans sa langue de mots qui ne correspondraient à aucune de ses pratiques sociales. Telle est d'ailleurs l'une des conclusions qui se dégage de la récente étude empirique d'Adrienne Lehrer portant sur le champ sémantique de la cuisson dans 11 langues différentes (le français, l'allemand, le perse, le polonais, le japonais, le chinois, le jacaltèque, le navaho, l'amharique, le yoruba et l'anglais) : de même que dans les cultures où le mode courant de cuisson consiste à faire *frire* les aliments, on trouve, à une seule exception près (l'allemand), un mot distinct pour désigner cet usage, de même dans les cas où les habitudes culinaires exigent plutôt de *faire cuire à l'étuvée*, on remarque la présence d'un mot distinct pour identifier ce phénomène (1974, p. 165).

C) *Explication*

Si nous nous refusons de voir entre culture et langue une corrélation directe et immédiate, cela tient d'une part à l'arbitraire du signe linguistique, et d'autre part à la

présence dans le lexique de ce que Mounin appelle des
« fossiles linguistiques ». Parce que le rapport entre le
signifiant et le signifié est arbitraire, il serait contraire à la
nature du signe linguistique que soit établie une correspondance *directe* entre un fait d'expérience et sa manifestation linguistique. Il reste d'ailleurs toujours possible
qu'il y ait absence, partielle ou totale, de verbalisation
d'une expérience non linguistique. Par exemple, fait
observer Eric Buyssens, le peintre qui désire faire reproduire
son tableau par un copiste professionnel ne saurait se
contenter d'en donner au téléphone une simple description
à l'aide de mots et de phrases : le copiste se doit de voir
l'original. Les limites du langage peuvent également être
illustrées par cette pratique qu'ont les policiers d'ajouter
à la description linguistique d'un criminel une ou plusieurs
photos (Buyssens, 1968, pp. 77-78). Ainsi, toute expérience
non linguistique n'est pas nécessairement verbalisée. Toutefois, dans les cas où il y a verbalisation, le rapport entre un
fait d'expérience et sa contrepartie linguistique demeure
arbitraire. Si le signe n'était pas arbitraire, il serait relativement facile de prévoir l'évolution lexicale d'une langue :
il suffirait d'en observer — en plus des facteurs de linguistique interne, bien entendu — le substrat matériel, techno-
logique, social, intellectuel, etc., pour en conclure à coup
sûr à l'apparition, à la disparition, ou même à la transformation d'un terme. Mais tel n'est pas le cas dans le
fonctionnement réel d'une langue.

D'autre part, s'il n'existe pas de corrélation *immédiate*
entre l'apparition d'un fait culturel et sa réalisation linguistique, c'est parce qu'une langue est remplie d'un
certain nombre de fossiles linguistiques, « c'est-à-dire de
traces de la verbalisation de praxis antérieures à celle
qu'exprime la langue actuelle » (Mounin, 1975, p. 136).
En d'autres termes, l'expérience du monde change en
général plus vite que la langue, et il n'y a pas automatique-
ment, comme on vient de le voir, répercussion dans la
langue des changements dans l'expérience humaine. S'il

en était autrement, comment expliquer que l'on continue de nos jours à dire que *le soleil se lève*[6] ? Tel est le cas, également, du mot français *plume* qui continue d'être employé en dépit de la disparition de la plume d'oie. Il n'est pas improbable, d'ailleurs, que la permanence dans un lexique de fossiles linguistiques de ce type s'explique précisément par le degré d'importance attaché à l'expérience que le terme reflète. Par exemple, comme le fait remarquer W. von Wartburg, si le mot *plume* a subsisté jusqu'à nos jours, n'est-ce pas à cause de « la permanence de l'emploi technique de l'objet, et de notre attitude envers lui... » (1969, p. 231) ?

De plus, s'il paraît nécessaire, comme on l'a dit, de faire intervenir les faits de culture lorsqu'il est question des rapports entre le langage et la pensée, c'est non seulement pour pouvoir rendre compte de la diversité des découpages linguistiques de la réalité dans différentes langues, mais également afin d'éviter d'adopter une position fixiste. En effet, comme l'écrit Mounin à propos de l'hypothèse de Whorf — mais cela vaut également pour celle de Trier — : « Si vous enfermez « la vision du monde » des locuteurs d'une langue donnée dans la camisole de force de structures linguistiques inconscientes, inexorables, comment expliquerez-vous que ces mêmes locuteurs changent pourtant de « vision du monde » au cours de l'histoire de leur communauté linguistique, aperçoivent des erreurs qu'ils corrigent, des insuffisances qu'ils complètent, des lacunes qu'ils comblent, et découvrent même des aspects nouveaux du monde qui devraient leur être inaccessibles ? » (1975, p. 189). Ainsi, les deux visions du monde relevées par Trier et ses élèves, vers 1200 et vers 1300 successivement, ne sauraient être expliquées exclusivement, comme le laissent entendre les formulations théoriques de Trier,

6. Lors de la révolution russe, rapporte Jakobson, il s'est trouvé des gens désireux de modifier le langage traditionnel, et en particulier des expressions trompeuses comme *le lever* ou *le coucher du soleil*, de manière à le rendre plus conforme à la doctrine copernicienne (1963, p. 81).

par la langue elle-même. Ce n'est qu'en observant un certain nombre de rapports, arbitraires, entre la langue et la culture, pour chacune de ces périodes, qu'il paraît possible de rendre compte de l'évolution du champ sémantique de la connaissance à l'époque médiévale. Le problème, comme on le voit, n'est donc pas simple et ne saurait se réduire à deux termes; l'intervention d'un troisième facteur s'impose de toute nécessité. N'est-ce pas d'ailleurs cette complexité qu'a entrevue Saussure dans sa condamnation de la conception des langues vues comme des nomenclatures ou comme des répertoires de mots, en partie parce qu'elle « laisse supposer que le lien qui unit un nom à une chose est une opération toute simple, ce qui est bien loin d'être vrai » (c 1916, 1972, p. 97).

Enfin, il ne faudrait pas croire, d'après ce qui précède, que la culture soit le seul facteur d'évolution sémantique d'une langue. Si nous avons mis en valeur cet aspect du problème c'est parce qu'il nous a semblé le seul pertinent pour notre propos actuel. Il va de soi que toute étude d'ensemble de la question se devrait de prendre également en considération tous les facteurs internes, ou proprement linguistiques, d'évolution sémantique.

Il découle de ce qui précède qu'un changement majeur, d'ordre social, culturel ou technique, par exemple, paraît susceptible de conduire au remplacement d'un mot par un autre. C'est ainsi, comme l'a déjà montré Ipsen, que la terminologie agricole a été profondément influencée par l'invention de la charrue (d'après von Wartburg, 1969, p. 243, n. 1). Par contre, dans le cas d'une modification de moindre importance, il ne pourrait y avoir qu'accroissement ou que rétrécissement, pour ainsi dire, du concept : le mot continuerait d'exister, seule la dimension de son contenu varierait. C'est ainsi qu'à cent ans d'intervalle les limites de *Kunst*, d'une part, et de *Wîsheit*, d'autre part, ne sont plus les mêmes. Vers 1200, *Kunst* se rapporte au domaine de l'attitude de la société courtoise envers le savoir; vers 1300 ce mot désigne avant tout les sphères

supérieures de la connaissance. Quant à *Wîsheit*, il représente au début du xiiie siècle la sagesse individuelle et la
sagesse divine; cent ans plus tard, c'est la sagesse spirituelle
qui est dénotée par *Wîsheit*. Il y a modification dans le
contenu de chacun de ces deux mots, mais pas au point
d'entraîner un changement terminologique. A l'inverse,
s'il y a substitution de *Wizzen* à *List*, c'est que cette transformation est le reflet d'une évolution d'importance sur
le plan social ou culturel : il est désormais possible d'apprécier le savoir et l'habileté de l'individu, quelle que soit
la classe sociale à laquelle il appartient. Tel est, croyons-
nous, le sens qu'il faut attribuer au passage suivant de
Sr. H. Schneider, élève de Trier : « Ce qu'il faut discerner,
c'est que la disparition de *List* et par conséquent celle de
la dualité originale *Kunst-List* signifient du point de vue
spirituel l'abandon d'une appréciation sociale des domaines
du savoir et de la technique. Or un fait est ici décisif, c'est
que la structure courtoise est ainsi faite que cette appréciation sociale doit être formulée d'une façon ou d'une
autre, simplement par l'attribution à *Kunst* ou à *List*, et
que la structure mystique ne pose plus cette nécessité linguistique d'une appréciation sociale » (1934, cité par
von Wartburg, 1969, pp. 237-238).

Cela s'explique par le fait que la connaissance des
choses ainsi que les idées et opinions concernant les choses
participent parfois au fonctionnement du lexique, comme
l'a déjà bien vu Coseriu (1967, pp. 22-24). Selon lui, cela
peut se produire dans au moins trois cas. D'abord, lorsqu'il s'agit d'interpréter certains mots composés ou dérivés
du type *Strassenhändler* : parce que l'on sait qu'il n'existe
pas de vendeurs ou d'acheteurs de rues, l'on interprétera
normalement cette expression comme « marchand ambu-
lant, camelot ». Ensuite, la probabilité d'association de
certains mots avec d'autres mots est le plus souvent fonction
de la probabilité d'association des objets correspondants
dans le réel : ainsi, dans une civilisation déterminée, l'apparition de *charrue* et *labour* aux côtés de *bœuf* est plus probable

que l'apparition de mots comme *temple* ou *sacré*, tout comme *vert comme un bœuf* est improbable parce qu'il n'existe pas de bœufs de cette couleur. Enfin, dans les créations métaphoriques interviennent également la connaissance des choses et les appréciations et opinions à propos des choses : par exemple, il y a plus de chances de trouver une expression comme *mettre la charrue devant les bœufs* que comme *mettre la charrue devant les boutons*.

Dans le même ordre d'idées, il convient ici de nous référer aux recherches de von Wartburg. Dans son étude des changements sémantiques, celui-ci fait une distinction entre deux types de « sphères conceptuelles » : celles qui sont constantes et délimitées de façon précise, comme les parties du corps, les rapports de parentés, etc., et celles qui subissent des modifications au cours du temps, comme l'habillement, les institutions politiques, les moyens de transports, etc. (1969, pp. 229-230). Mais, ajoute von Wartburg, des déplacements peuvent se produire à l'intérieur de la première catégorie. C'est le cas du latin qui nommait à l'aide de deux termes distincts l'oncle du côté paternel et l'oncle du côté maternel (*patruus* et *avunculus*, respectivement), et également de deux mots différents la tante du côté paternel et la tante du côté maternel (*amita* et *matertera*, respectivement), suivant le schéma suivant que nous empruntons à von Wartburg :

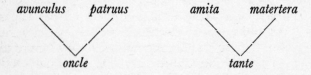

Ce qu'il est intéressant de noter ici, c'est que cette distinction terminologique a duré tant que n'a pas changé l'attitude de l'homme face à cet état de fait, à savoir, une situation juridique différente pour les parents des deux lignes. Lorsque cette distinction, extra-linguistique, a perdu de son importance, il y a eu assimilation des deux lignées, puis abandon de la différenciation linguistique. En d'autres termes, comme le fait remarquer à juste titre von Wartburg, c'est un changement d'attitude qui a provoqué une modification linguistique, en dépit du fait que la chose, c'est-à-dire la relation parentale, soit restée inchangée. Par contre, dans le deuxième type de sphère conceptuelle, on assiste au phénomène inverse : un déplacement de contenu peut se produire sans qu'il y ait modification terminologique. C'est ce qui s'est produit par exemple, comme on l'a vu, dans le cas du mot *plume* qui, à cause de l'importance de la fonction de l'objet, n'a pas varié même si la plume d'oie a été remplacée par la plume d'acier, et celle-ci par le stylo.

Ce dernier exemple, toutes proportions gardées, peut être apparenté, par certains aspects, aux mots *Kunst* et *Wîsheit* dont il vient d'être question. Il n'est pas impossible, en effet, que la permanence de ces deux termes vers 1200 et vers 1300 s'explique par une certaine constance dans l'attitude des hommes à l'égard de leur contenu puisque, comme on l'a vu, les concepts auxquels ils correspondent n'ont pas varié considérablement. Toutefois, dans le cas du remplacement de *List* par *Wizzen*, dont on ne trouve pas l'équivalent dans les types de changements mentionnés par von Wartburg, il semble permis de croire que le phénomène soit dû à l'importance de la modification subie au niveau de la société elle-même. Quoi qu'il en soit, si les limites entre les concepts sont différentes à cent ans d'intervalle, il ne saurait être question d'attribuer cette nouvelle vision du monde au lexique même, ce dernier étant resté en partie inchangé. Les modifications des rapports mutuels entre les concepts, à l'intérieur d'un champ conceptuel, ne paraissent s'expliquer que par un changement de l'attitude de l'homme face au réel, c'est-à-dire, en définitive, par la culture même de l'homme, en l'occurrence la vie sociale allemande à l'époque médiévale. C'est ce qui ressort, par exemple, des deux passages suivants de Schneider : « L'homme lui-même dans les concepts courtois, c'est essentiellement l'homme dans son état, dans la communauté qui le tient et lui donne forme, qui fait de lui un homme complet. *Wîsheit, Kunst, List,* tout cela n'existe pas sans l'ossature des états et l'ensemble des choses qui se rapportent à eux »; « l'ensemble *Kunst-List* s'alimente dans une conception bien déterminée des états sociaux » (1934, cités par von Wartburg, 1969, p. 237).

On trouve une confirmation de ces vues dans une étude, rapportée par Mounin (1963, pp. 246-248), de C. Luporini sur le mot italien *spirituale* utilisé par Léonard de Vinci dans des expressions comme *potenza spirituale, virtù spirituale, assenza spirituale,* etc., pour définir la notion de *force.* On remarque que, là encore, la permanence d'un signifiant n'implique pas nécessairement l'invariabilité du signifié correspondant. C'est ainsi, par exemple, que le terme *spirituale* utilisé dans son acception actuelle risquerait de faire croire à une conception spiritualiste ou vitaliste de la force chez Léonard de Vinci. Toutefois, conformément aux valeurs culturelles de son époque, celui-ci, loin de concevoir l'esprit comme quelque souffle ou entité immatérielle, n'y voit qu'une matière, ou du moins une faculté ou un pouvoir lié aux propriétés du corps. De là ses explications d'ordre mécanique du mouvement des êtres vivants. C'est du moins ce que révèle l'analyse faite par Luporini des valeurs sémantiques de *anima, spirito* et *spirituale* chez Léonard de Vinci. Ainsi, ce n'est qu'en se référant à la vie culturelle et intellectuelle de l'époque de Léonard que l'on peut saisir la véritable signification du terme *spirituale*; dans le climat culturel d'aujourd'hui, qui a évolué depuis cette époque, la signification de *spirituale* n'est plus la même. Le signifiant est pourtant resté inchangé : seul le signifié a subi des transformations. Puisqu'il y a permanence du signifiant, il paraît difficile de croire en une corrélation directe et immédiate entre le lexique et la vision du monde. C'est que, comme l'illustre bien cet exemple, le lexique d'une langue est en bonne partie façonné par la culture du peuple parlant cette langue.

C'est ce que révèle également, dans le domaine français cette fois, l'étude de H. Skommodau sur le vocabulaire psychologique français de la seconde moitié du XVIIIe siècle, parue (en allemand) en 1933, soit deux ans seulement après la publication de l'ouvrage fondamental de Trier. Il ressort de cette analyse d'inspiration trierienne qu'une modification de la sensibilité humaine entraîne, par contrecoup, un changement de la terminologie linguistique. Le vocabulaire est déterminé avant tout par la mentalité de l'époque. Par exemple, le relâchement dans les mœurs contribue au rétrécissement du sens du terme *sensation* qui ne désigne plus, comme au temps de la philosophie sensua-liste de Condillac, tout ce qui a trait aux impressions sensibles, agréables ou désagréables, mais uniquement les impressions physiques qui accompagnent l'amour. Chez les auteurs galants de l'époque, tous les termes relatifs au voca-bulaire psychologique sont dépréciés et prennent une conno-tation érotique. Là encore, conformément à notre interpré-tation, c'est la culture même de l'homme, dans son aspect psychologique cette fois, qui façonne le lexique d'une langue.

Toujours dans le domaine français, mais de réalisation plus récente, ont été faites un certain nombre d'études présentant toutes plus d'une affinité avec la pensée de Trier. Il s'agit des analyses conduites suivant la méthodo-logie mise au point par G. Matoré, en 1953, dans *La méthode en lexicologie*. Pour celui-ci, l'étude du vocabulaire doit servir à expliquer les faits de société et, en dernier ressort, à reconstituer toute l'histoire d'une civilisation. Telle est la perspective dans laquelle il faut se placer pour apprécier à sa juste valeur ce que l'on appelle, un peu à tort mainte-nant[7], la « lexicologie sociologique » de Matoré. Suivant

7. « J'ai moi-même dans *La méthode en lexicologie* attribué une place trop grande au caractère sociologique du vocabulaire et je pense aujourd'hui qu'il est parfaitement justifié (la lexicologie devenant alors un auxiliaire de la stylistique) de déterminer la structure hiérarchisée du vocabulaire d'un écrivain...», fait remarquer MATORÉ dans la « Préface de la seconde édition», refondue, de sa *Méthode en lexicologie* (c 1953, 1973, p. xx).

cette méthode d'analyse, il s'agit, après avoir délimité un certain nombre de générations linguistiques (de trente-trois ans chacune environ), de relever la présence dans chacun de ces états de langue de ce que l'auteur appelle les *mots témoins* d'une époque. Parmi ceux-ci, nombreux, se dégagent quelques *mots clefs*, qui correspondent aux concepts majeurs d'une génération donnée. Par exemple, *magasin* est un mot témoin des années 1820-1825, *bourgeois* le mot clef des années 1827-1834, avec les mots clefs secondaires *prolétaire* et *artiste*; *honnête homme* et *philosophe* seraient, eux, les mots clefs des XVIIᵉ et XVIIIᵉ siècles respectivement. Ces mots témoins et ces mots clefs servent à construire les « champs notionnels » d'une époque donnée et d'un milieu précis, comme les champs notionnels d'art et d'artiste entre 1827 et 1834, ou encore, d'art et de technique en France en 1765. Pour Matoré, le vocabulaire est structuré en fonction de critères extra-linguistiques : l'organisation des éléments en champs repose sur l'importance sociologique des faits tels qu'ils se reflètent dans les mots, et non sur l'idée d'une hiérarchie de champs conceptuels. Selon lui, la clef de la sémantique est de nature sociologique et psychologique. Fait à noter : le mot témoin est toujours un néologisme : « La mutation brusque qui lui donne naissance est le signe d'une nouvelle *situation*, sociale, économique, esthétique, etc. : il marque un *tournant* » (*c* 1953, 1973, p. 65).

Il est cependant permis de croire, d'une part, que si Trier avait tenté de reconstituer ses champs conceptuels à l'aide de mots témoins de ce type, il est plus que probable qu'il serait arrivé à des résultats différents : *Kunst* et *Wîsheit*, au XIVᵉ siècle, bien que n'étant pas des néologismes, reflètent pourtant une certaine mentalité ou conception propre à cette époque; ce sont des « fossiles linguistiques » dont la technique de Matoré ne permet pas de tenir compte. D'autre part, vouloir reconstituer les faits de société à partir du seul vocabulaire implique en fait l'acceptation d'un postulat sous-jacent : il y aurait parallélisme *nécessaire* entre structuration de l'expérience non linguistique et sa lexicalisation. Postulat qui, à notre avis, pourrait bien être erroné en ce qu'il constitue la négation même d'un fait déjà bien établi en linguistique : l'arbitraire de la lexicalisation. Mais, du point de vue qui nous occupe ici, ce qui frappe le plus dans cette conception, c'est le fait que, tout comme dans le cas de Trier, doive être postulée, antérieurement à la structuration du lexique en champs, une certaine organisation non linguistique de l'expérience humaine. Afin de reconstituer les faits sociaux d'une époque, Matoré dégage des mots clefs et des mots témoins, mais ces unités sont d'abord et avant tout choisies en fonction de leur contenu sans qu'entrent en ligne de compte leurs particularités linguistiques formelles. Quant aux champs lexicaux de Trier, ils correspondent point par point à des champs conceptuels dont ils ne sont que le reflet. Ainsi, la structuration du lexique en champs, comme l'a déjà bien perçu Mounin (1963, p. 136), présuppose la reconnaissance de l'existence, *a priori*, d'une certaine structuration non linguistique de l'expérience. Il y a là un postulat qu'il importe de reconnaître dans l'étude des champs sémantiques.

CHAPITRE III

La délimitation
des champs sémantiques

L'hypothèse de Trier, avons-nous fait remarquer au début du deuxième chapitre, fait appel à un autre postulat : la totalité du lexique d'une langue se présente comme une hiérarchisation de champs lexicaux juxtaposés, sans lacune ni chevauchement. Toutefois, pareille question présuppose résolus au moins deux autres problèmes : la délimitation du domaine à étudier et la délimitation des unités appelées à faire partie de ce domaine. C'est pourquoi au cours du présent chapitre, après avoir explicité les données du problème, nous nous attarderons à ces deux aspects de la question avant d'en arriver à l'examen des chevauchements des champs entre eux.

i. PROBLÉMATIQUE

Que faut-il entendre au juste par « délimiter » un champ sémantique ? Pour pouvoir répondre à cette question, mettons-nous un instant à la place du sémanticien sur le point d'entreprendre une recherche, et voyons comment il procède. Une fois adoptée l'hypothèse suivant laquelle la structure sémantique d'une langue est constituée d'un assemblage intégré de microstructures, la première décision à prendre a trait au domaine à étudier. Sur quel

champ sémantique faire porter la recherche ? Par exemple,
s'agira-t-il d'étudier le domaine lexical des couleurs, de la
botanique, de la parenté, de la connaissance, des moyens
de transport, etc. ? La réponse à cette question n'a rien
d'objectif : c'est pour des motifs qui relèvent peut-être
autant du hasard que de la personnalité du chercheur que
celui-ci est amené à opter initialement pour tel champ
plutôt que pour tel autre. A titre d'illustration, prenons
le cas d'un champ sémantique dont l'étude semble, en
principe du moins, être une tâche relativement aisée parce
que portant sur des termes concrets : le champ sémantique
des sièges en français. Une décision subjective étant prise
à ce niveau, se pose alors le problème, beaucoup plus
complexe, de la délimitation des unités devant faire partie
de ce champ. Bien entendu, on peut décider de façon
arbitraire de travailler sur cinq ou six termes seulement,
sur « de petits ensembles lexicaux » (Pottier, 1967, p. 24),
choisis intuitivement. C'est ce que fait Pottier (1963) lorsqu'il fait porter son analyse sur les seuls termes — ou
plutôt « objets », pour reprendre sa terminologie appro-
priée — suivants : *chaise, fauteuil, tabouret, canapé* et *pouf*.
Mais si pareil choix peut s'expliquer par le fait qu'il
s'agit non pas tant de structurer tout le lexique français
des sièges que de mettre au point une méthode d'analyse
sémantique, il n'en reste pas moins qu'il y a là un raccourci
méthodologique que la sémantique, vu l'état embryonnaire
de la recherche actuelle, peut difficilement se permettre.
Pour le chercheur soucieux de donner un statut véritablement scientifique aux champs sémantiques, il convient
dès le début de s'assurer du bien-fondé de ses critères de
délimitation. Par exemple, en vertu de quels critères
inclura-t-on ou exclura-t-on des unités comme *confident,
indiscret, chaise curule, bergère, voltaire, méridienne, balancelle,
chaise de jardin, fauteuil de bureau,* etc. ? Ces exemples posent
des problèmes d'ordres différents, qu'il importe de distinguer. Dans le cas de *confident*, il s'agit d'une unité lexicale
qui ne correspond plus à un objet courant : c'est pourquoi

il y a fort probablement peu de gens qui connaissent ce
mot (en tant que désignant un type de siège, bien entendu),
qu'on ne trouve d'ailleurs plus dans les dictionnaires
usuels. Est-ce à dire qu'on ne devrait retenir que les mots
désignant des types de sièges courants ? Devra-t-on, dans
ce cas, exclure la *chaise curule*, unité sans doute mieux
connue que le *confident* ou l'*indiscret*, et enregistrée de ce
fait dans la plupart des dictionnaires courants, mais qui se
rapporte pourtant à un objet datant de l'époque romaine ?
Liée à ce problème, se pose toute la question de la culture,
en l'occurrence la culture matérielle, qui sous-tend en
bonne partie, comme on l'a vu dans les pages qui précèdent,
le vocabulaire d'une langue. Par exemple, le champ
sémantique des sièges en français de France sera-t-il
identique au champ sémantique des sièges en français du
Québec ? Si l'on a de fortes chances de trouver en France,
même aujourd'hui, un assez grand nombre de bergères,
de voltaires, ou de méridiennes, au Québec en revanche
l'absence de ces types de sièges fait que peu de Québécois
d'aujourd'hui en connaissent les termes correspondants
(qui figurent tous au *Petit Robert*).

Dans le cas où, à l'inverse de ce que l'on vient de voir,
il s'agit de la création d'un nouvel objet sur lequel on peut
s'asseoir, inclura-t-on dans le champ sémantique toute la
gamme des unités qui accompagnent généralement pareil
phénomène ? Par exemple, lorsque est apparue sur le
marché une sorte de siège que l'on suspend à un plafond
et dans lequel on peut se balancer légèrement, des unités
comme *balancelle* — mot qui ne servait jusqu'ici qu'à
désigner une sorte d'embarcation à avant pointu et
relevé —, *chaise-balançoire, balançoire, chaise suspendue*, etc., ont
fait leur apparition, en particulier dans les magazines
relatifs au mobilier. Quelle unité retenir lorsque l'usage
d'un terme linguistique n'est pas encore complètement
fixé ?

Des exemples de ce genre soulèvent d'ailleurs des
problèmes d'un autre ordre, celui du découpage propre-

ment linguistique des unités elles-mêmes : une « chaise suspendue » est-elle une « chaise » que l'on suspend, ou un objet auquel correspond un syntagme lexicalisé ? En termes plus proprement linguistiques, dira-t-on qu'il s'agit d'un syntagme, lâchement constitué, ou d'un synthème, dont le comportement serait identique à celui d'un monème ? La question est certes d'importance puisque quantité de sièges sont désignés en français au moyen d'unités complexes formées à l'aide de *chaise* : *chaise de bureau, chaise de jardin, chaise de bébé, chaise longue, chaise pliante, chaise berceuse, chaise berçante, chaise haute, chaise électrique*, etc. Il en va de même des expressions formées avec *siège* (*siège de bébé, siège de motocyclette, siège éjectable, siège gonflable*, etc.), avec *fauteuil* (*fauteuil roulant, fauteuil de bureau, fauteuil d'orchestre, fauteuil de théâtre*, etc.), avec *banc* (*banc de parc, banc de piano, petit banc*, etc.) ou avec *tabouret* (*tabouret de cuisine, tabouret de piano, tabouret de bar*, etc.). Les expressions *chaise en rotin* ou *bergère Louis XV* doivent-elles être traitées, linguistiquement, comme *chaise électrique*, ou comme *fauteuil de cuir* ? La délimitation stricte des unités devant faire partie du champ sémantique des sièges implique l'analyse, à un certain moment de la recherche, des unités simples ou des groupements d'unités afin d'en déterminer la nature exacte à l'aide de critères précis. Se référera-t-on aux distinctions de Coseriu (1967, pp. 28-32) entre trois classes d'unités du « discours répété » : les locutions du type *la nuit tous les chats sont gris*, les syntagmes stéréotypés comme *avoir maille à partir*, et les périphrases lexicales comme *au fur et à mesure*, ou se contentera-t-on de la notion d' « unité sémantique complexe » de Dubois (1960), du type l' « émancipation des travailleurs », de la notion de « lexie complexe » de Pottier (1963), ou de quelque autre terme suggéré par un autre auteur ? Dans le cas qui nous occupe, la mise en pratique des conclusions de Mahmoudian dans « A propos de syntagme et synthème » (1975), relativement aux critères de distinction entre ces types d'unités proposés par Martinet, pourrait s'avérer d'une aide très précieuse : les syntagmes seront exclus du champ alors que les monèmes proprement dits et les synthèmes en feront partie.

Quoi qu'il en soit, au sujet de cette question particulière, le problème initial reste entier : en vertu de quels critères linguistiques et objectifs décidera-t-on de considérer telle unité comme susceptible de faire partie du champ sémantique étudié ? Doit-on éliminer tout ce qui est archaïque, bizarre, dialectal, ou technique ? Les quelques termes cités ci-dessus à titre d'exemples ont été choisis empiriquement et de manière intuitive. Il s'agit dans tous ces cas d'une décision d'ordre conceptuel, qui n'a rien de proprement linguistique. Ainsi, c'est parce que *pouf* désigne un objet sur lequel on peut s'asseoir qu'il paraît susceptible de figurer aux côtés de mots comme *chaise, fauteuil, canapé*, etc., qui font tous référence à des types de sièges : le regroupement ne repose sur aucune ressemblance formelle au niveau des signifiants eux-mêmes. A ce titre, pourquoi ne pas inclure, dans la liste, des termes comme *genoux, arrière-train, lit, table, tapis, pelouse*, etc., puisqu'il est toujours possible de s'asseoir sur l'un ou l'autre de ces objets ?

Délimiter un champ sémantique veut ainsi dire d'abord deux choses : déterminer le champ à étudier, c'est-à-dire préciser sur quel domaine porte la recherche, et relever les unités appartenant au domaine choisi. Il y a là deux étapes importantes, bien distinctes et successives, et dont le degré de complexité est tout à fait inégal. La deuxième phase, tâche très ardue, présuppose en effet la première, laquelle ne présente pas de difficulté majeure, du moins pour ceux qui considèrent comme une nécessité inéluctable le caractère subjectif du point de départ de l'établissement des champs sémantiques. Mais il y a plus encore. Le choix des unités susceptibles de figurer dans un champ sémantique implique, au préalable, une décision quant au caractère polysémantique ou homonymique de l'unité retenue : c'est par une option subjective que sont initialement exclus du champ sémantique des « sièges » les différents autres sens du terme *siège* (dans *siège social, siège d'un tribunal, siège apostolique, le siège d'une ville, un état de siège,* par exemple). Pourtant, comme l'a déjà bien fait voir H. Schogt (1976, p. 24) sur un exemple, le mot *bois,* tout terme polysémantique peut donner naissance, à partir de chacun de ses différents sens, à une série, elle-même point de départ de nouvelles séries, produisant ainsi un effet de boule de neige. C'est le cas, par exemple, du mot *canapé,* susceptible d'être le centre d'une constellation de mots, figurant eux-mêmes dans plusieurs systèmes aux ramifications nombreuses, un peu à la manière des « champs associatifs » de Bally.

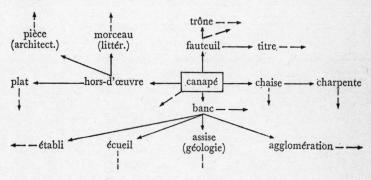

Pareil schéma permet de bien illustrer le troisième volet de la délimitation des champs sémantiques : quelles relations entretiennent entre eux plusieurs champs ? Autrement dit, quel est le degré et le mode d'imbrication (si imbrication il y a) des champs par le biais de leurs unités ? L'important à cette étape-ci de la discussion est de bien prendre conscience de ce fait, en général sous-estimé par les sémanticiens : la délimitation des champs sémantiques implique des décisions majeures d'au moins trois types différents, dont les critères ne sont pas nécessairement du même ordre. La problématique étant ainsi posée, voyons donc maintenant plus en détail chacun de ces trois aspects de la délimitation des champs.

2. LA DÉLIMITATION D'UN CHAMP

En choisissant de se livrer à l'étude de la conception du savoir au Moyen Age, Trier prend une décision tout à fait arbitraire et subjective, liée à ses intérêts personnels : son option de départ n'a rien de linguistique, ni d'objectif. Il en est d'ailleurs très conscient puisqu'il fait allusion, dans un article écrit en 1934, à « un certain degré d'arbitraire dans la délimitation du champ » (d'après Geckeler, c 1971, 1976, p. 170). La très grande majorité des chercheurs, à quelques exceptions près comme on le verra ci-dessous, procèdent de la même façon : dès le point de départ, ils prennent une décision arbitraire, d'ordre purement conceptuel. C'est le cas, par exemple, de Angela Bidu-Vranceanu (l'habitation, les animaux domestiques et les couleurs en langue roumaine), de Dubois (le lexique français des structures sociales et économiques de 1869 à 1872), de Ducháček (la beauté en français moderne), de Geckeler (l'âge), de A.-J. Greimas (la spatialité), de Guiraud (la tromperie et la notion de « coup »), d'Adrienne Lehrer (la cuisson), de F. G. Lounsbury (la parenté), de Matoré (la notion d'art sous Louis-Philippe), de Mounin (l'habitation et les animaux domestiques), de E. Oksaar (la vitesse), de Pottier (les sièges), et de plusieurs autres qu'il serait vain de continuer à énumérer ici. Dans tous ces cas, la première étape de la recherche consiste en un choix d'un concept qui est soit donné par une autre science (comme la philosophie, la sociologie, l'esthétique, la science politique, la biologie, etc.), soit établi de façon empirique (les sièges, l'habitation, la cuisson, la tromperie, la spatialité, etc.). De toute manière, il s'agit à coup sûr d'un choix laissé au jugement subjectif et arbitraire du chercheur, sans intervention du moindre critère objectif ou linguistique.

3. LA DÉLIMITATION DES UNITÉS

Le concept à étudier étant déterminé, le sémanticien passe alors à l'étape suivante : la délimitation des unités appelées à figurer dans le domaine d'étude choisi. Les critères adoptés varient selon les auteurs mais, en dépit de cette diversité, il est possible de déceler deux orientations principales : ceux qui recourent à l'intuition, et ceux qui sont à la recherche de critères objectifs (de nature extra-linguistique ou linguistique proprement dite).

A) *Le recours à l'intuition*

En vertu de quel critère Trier est-il amené à inclure dans le champ conceptuel de l'entendement les mots *Kunst*, *Wîsheit* et *List* (pour le début du XIIIᵉ siècle) et *Kunst*, *Wîsheit* et *Wizzen* (pour le début du XIVᵉ siècle) ? Le fait que ces unités soient tirées d'un corpus ne signifie en rien le recours à un critère proprement linguistique puisque, d'une part, le corpus est lui-même choisi en fonction du concept à étudier, et que, d'autre part, seules sont retenues du corpus les unités relatives au domaine de la vie spirituelle et morale. Le choix des unités lexicales repose, chez Trier, sur l'observation d'une affinité de signifiés qui n'est nullement reflétée sur le plan des signifiants par des marques formelles. Il s'agit donc là encore d'un choix intuitif d'ordre non linguistique. Si, en vue de pallier cette difficulté, Trier avait décidé de partir non pas d'un ensemble de textes déjà orientés en fonction du champ à étudier mais d'un corpus choisi au hasard et considéré comme représentatif, les résultats auraient peut-être été les mêmes vu le nombre restreint d'unités incluses dans son champ sémantique. Il importe toutefois de souligner le fait que le recours à un corpus choisi au hasard n'est certes pas une procédure satisfaisante puisque dans la plupart des cas les champs comportent un nombre relativement élevé d'unités. C'est ce que révèle, en tout cas, ce qui suit : pour en arriver à déterminer le champ sémantique des animaux domestiques, Mounin a noté pendant soixante jours toutes les occurrences des termes relatifs à ce champ au cours de ses conversations et de ses lectures. Comparativement au champ total établi au moyen d'autres procédures, et qui compte près de 200 termes, seuls sont apparus les 12 termes suivants : *animaux exotiques, mulet, chien, poule, chèvre, poulet, mouton, cochon, essaim, hongre, bœuf,* et *taureau* (1972, p. 135).

Cette expérience confirme l'idée qu'un corpus fortuit se révélerait inopérant dans la très grande majorité des cas, d'où le recours habituel à un corpus prédéterminé. Chez Dubois, tout comme chez Trier, il y a constitution initiale d'un corpus d'abord choisi d'après le thème étudié; puis, par une nouvelle décision d'ordre conceptuel, sont écartés du corpus les termes techniques (de droit constitutionnel, de droit fiscal, des finances publiques, de statistique et d'économie politique) de manière à ce que ne soit retenu que le vocabulaire de la langue commune. Même dans les exemples de Saussure, c'est la quasi-synonymie, c'est-à-dire une affinité au niveau des signifiés, qui sert de base au regroupement des termes de la série *craindre, redouter, avoir peur,* ou de la série *enseignement, apprentissage, éducation.* Les champs notionnels de Matoré, comme on l'a vu, reposent avant tout sur des critères extra-linguistiques, d'ordre sociologique ou psychologique : le « facteur objectif » de classification auquel il fait allusion paraît n'être que l'existence des mots eux-mêmes. Comment, en fait, établir objectivement l'importance des deux notions complémentaires d'*individualisme* et d'*organisation,* par exemple ? Comme le fait observer pertinemment N. C. W. Spence (1961, p. 103), des mots comme *originalité, inspiration, prophète,* et *créateur,* bien qu'importants à l'époque étudiée, ne figurent même pas comme éléments du champ notionnel d'art et d'artiste vers 1827-1834. Le caractère arbitraire et subjectif des frontières du

champ saute aux yeux. N'est-ce pas l'appréciation subjective de ce que Ducháček (1959) appelle la « dominante
sémantique », les « éléments notionnels complémentaires »,
et les « valeurs extra-notionnelles », qui lui permet de
regrouper graduellement du centre à la périphérie les
termes relevant du champ conceptuel de la beauté en
français moderne ? Le système sémique de la spatialité,
tel que conçu par Greimas (1966, p. 33), repose sur l'analyse
conceptuelle, et non linguistique, de la notion de spatialité.
Par exemple, pourquoi appeler « non-dimensionalité » les
données à deux ou trois dimensions (superficie, volume) ?
Pourquoi ne retenir que « horizontalité » et « verticalité » ?
Où loger « obliquité » qui est bien du même champ conceptuel ? Où mettre grand ? petit ? spacieux ? immense ? la
description des courbes ? des dimensions en ligne brisée ?
Quant à Adrienne Lehrer, elle reconnaît explicitement
avoir recours à l'intuition dans le choix du lexique de la
cuisson dans différentes langues (1974, pp. 5-6). Dans
tous ces cas, et dans de nombreux autres, la délimitation
des unités du champ sémantique repose sur des critères
variés mais tous intuitifs et non proprement linguistiques.

B) *A la recherche de critères objectifs*

I / *Critères extra-linguistiques.* — Est-ce à dire que la
délimitation des unités des champs sémantiques doive
reposer nécessairement sur des décisions à la fois arbitraires
et d'ordre non linguistique ? Pas nécessairement, comme le
montrent par exemple la plupart des structurations sémantiques établies surtout par des anthropologues (principalement américains) : termes de parenté, systèmes de pronoms, vocabulaires de la couleur, et terminologies ethno-
graphiques de toutes sortes (botanique indigène, taxinomie
des maladies dans les sociétés primitives, termes relatifs
à la cosmologie, etc.). Par exemple, c'est en observant
l'arbre généalogique des Indiens Seneca que l'anthropologue-linguiste Lounsbury (*c* 1964, 1966) en arrive à

faire l'analyse structurale des termes de parenté iroquois. Ses unités lui sont fournies grâce à deux critères non linguistiques, mais objectifs : la parenté par alliance, et la parenté d'après les types consanguins.

Toutefois, si les études de ce genre ont le mérite de faire reposer l'analyse lexicale sur des critères objectifs (bien qu'extra-linguistiques), il n'en demeure pas moins qu'il s'agit pratiquement toujours de classifications lexicales qui sont d'autant plus facilement établies que les objets correspondants possèdent déjà eux-mêmes une structuration claire et nette. Surgit alors le problème suivant : les structures ainsi dégagées sont-elles proprement linguistiques ? « Le problème fondamental que posent ces analyses structurelles, font observer Dubois et L. Irigaray, est de distinguer ce qui est le fait de la structure linguistique et celui de la structure socioculturelle que forment les relations parentales entre les membres d'une communauté définie. Le risque est grand en effet de décrire, à travers la langue la structure sociale, celle des objets signifiés *(denotata)*, et non de déterminer le système des lexèmes eux-mêmes » (1966, p. 47). Jean Perrot, quant à lui, va même jusqu'à nier catégoriquement le caractère linguistique des structures obtenues puisque les relations entre les termes sont non marquées linguistiquement, comme en français *frère-sœur*. C'est pourquoi il en conclut que « ces structures elles-mêmes ne sont pas des structures linguistiques : ce sont des structures sociologiques, psychologiques, etc. » (1958, p. 692). Il semble bien, en tout cas, que les recherches de ce type reposent sur le postulat que les structures lexicales ne sont qu'un décalque, sans lacune et sans bavure, des structurations d'un autre ordre.

II / *Les définitions.* — Une autre tentative en vue de délimiter objectivement les éléments linguistiques à structurer est celle qui consiste à partir de contextes particuliers : les définitions. En effet, suivant la suggestion de Hjelmslev (*c* 1957, 1971, p. 120), les définitions lexico-

graphiques constitueraient une base efficace de structuration du lexique. Cette proposition est cependant restée à
l'état de projet chez Hjelmslev. C'est Mounin qui, en
particulier dans « La structuration du lexique de l'habitation » (1965 *a*) et dans « La dénomination des animaux
domestiques» (1965 *b*), s'est donné pour tâche la vérification
de l'hypothèse de Hjelmslev. Afin de délimiter les unités
appelées à faire partie du champ sémantique des animaux
domestiques, Mounin tente de partir de la définition de
domestique telle qu'on la trouve dans les dictionnaires
courants. Or, après étude, il s'avère que ce point de départ
n'est pas rigoureusement opératoire puisque les définitions
en compréhension (c'est-à-dire sous la forme d'énoncés
de traits définitoires) varient d'un dictionnaire à l'autre :
les traits sémantiquement pertinents de la définition du
terme *domestique* ne sont pas les mêmes dans le *Littré*,
dans le *Larousse*, dans le *Quillet*, et dans le *Robert*. Ces
difficultés s'expliquent par le fait, bien mis en évidence
par J. et C. Dubois (1971, pp. 84-85), que les définitions
des dictionnaires constituent un « discours pédagogique »
doté d'un caractère spécifique qui fait qu'elles ne doivent
être confondues ni avec ce qu'ils appellent la « définition
sémantique », ni avec la définition logique, ni avec la
définition substantielle d'ordre scientifique. Pareille identification ne peut qu'aboutir à la constatation que les
définitions lexicographiques sont, bien entendu, très imparfaites du point de vue sémantique (ou de tout autre point
de vue).

Ainsi, tant pour des raisons d'ordre pratique que
d'ordre théorique, l'hypothèse de Hjelmslev s'avère en
définitive peu rentable comme technique de délimitation
objective (ce qui n'implique nullement, à ce moment-ci
de la discussion, un jugement quant à leur valeur comme
indices de la structuration même du lexique, à une étape
ultérieure de la constitution des champs sémantiques). A ce
sujet, nous renvoyons à l'intéressant article de J. Roggero,
intitulé : « Des rouges et des lueurs » (1977), dans lequel

il examine en particulier certains types de définitions des termes désignant en anglais les nuances de la couleur rouge, à partir du *Webster's Third New International Dictionary*. Voici, par exemple, la définition de PIMENTO : « A vivid red that is yellower, lighter and slightly stronger than apple red, yellower, lighter and stronger than carmine, yellower and darker than Castillian red, yellower and lighter than madder crimson, and yellower, stronger, and slightly lighter than scarlet » (p. 156). Comme l'écrit Roggero, dans ce cas « le terme défini se trouve ainsi défini, d'une part, par rapport au système à trois traits, d'autre part par rapport aux autres éléments de l'ensemble» *(ibid.)*. Par contre, dans le cas des termes désignant des lueurs (*blaze*, *flare*, *glimmer*, etc.), les définitions sont loin, cette fois, de refléter un système aussi bien établi que celui des couleurs (p. 165). Il est bien sûr possible de contourner en grande partie la difficulté en recourant non pas à un, ni même à deux dictionnaires, mais bien au plus grand nombre possible de sources. C'est ce que fait Guiraud par exemple, lorsqu'il dresse l'inventaire de tous, les mots (au-delà de 200) signifiant « tromper », « trompeur », « tromperie » : il établit sa liste à partir du *Dictionnaire des synonymes* de H. Bénac, du *Dictionnaire analogique* de C. Maquet, des données de l'*Argot du milieu* de J. Lacassagne, et des termes recueillis par lui-même (1968, p. 97). Pareil relevé repose au point de départ sur une définition implicite de la « tromperie », que l'auteur s'est d'ailleurs chargé d'expliciter en cours d'analyse. Aux dires mêmes de Guiraud, toutefois, surgissent de nouveaux problèmes. En effet, d'une part, les mots étudiés n'appartiennent pas à un état de langue donné synchroniquement homogène : plusieurs termes, ou n'existent plus aujourd'hui, ou relèvent de niveaux de langue différents (par exemple, *jober*, *enjobarder*, *entuber*, *momerie*, etc.). D'autre part, la motivation (dans le sens saussurien du terme) est purement étymologique alors que beaucoup de ces mots sont aujourd'hui sentis comme arbitraires, au moins partiellement : par exemple, de nos jours, *enjobarder* (« tromper ») paraît en partie arbitraire (en + *jobard* + er) alors que ce mot proviendrait étymologiquement de Job, le personnage biblique qui a eu à subir les railleries des ses amis et les reproches de sa femme.

Mais si les définitions en compréhension ne réussissent pas à délimiter correctement la frontière des champs, qu'en est-il, se demande alors Mounin, des définitions en extension (c'est-à-dire par énumération des objets auxquels se rapporte le concept) ? Dans le cas de la structuration des animaux domestiques, il s'agit de l'énumération exhaustive des animaux dits domestiques. Or, constate Mounin, une difficulté surgit immédiatement : les usages varient, selon les critères définitoires des auteurs consultés, en l'occurrence les auteurs des six volumes de la collection « Que sais-je ? » choisis comme corpus d'étude. En effet, alors que chez l'un l'abeille peut être considérée comme domestique, il ne saurait en être question chez l'autre, et ainsi de suite dans plusieurs autres cas. La définition en extension, conclut Mounin, ne saurait servir de critère de délimitation des champs sémantiques, pour les animaux domestiques à tout le moins, sauf si l'on fait coïncider — solution inacceptable — les notions d'idiolecte et de corpus. Quant aux définitions proprement scientifiques, explorées aussi par Mounin, elles ne sont pas susceptibles de délimiter de façon plus satisfaisante les champs sémantiques, pour au moins deux raisons : l'arbitraire du signe et l'absence de lexicalisation de certains domaines de l'expérience non linguistique. Ainsi, au terme de cette exploration en apparence prometteuse, il ressort nettement que ni les définitions en compréhension, ni les définitions en extension, ni les définitions scientifiques ne constituent un critère opératoire de détermination des unités lexicales appelées à faire partie d'un champ sémantique préalablement choisi de manière empirique.

Pour notre part, en collaboration avec notre collègue Charron, nous avons tenté d'explorer une voie apparentée : la définition référentielle. En termes lexicographiques, il s'agit de ce que l'on appelle la définition de chose, par opposition à la définition de mot (Josette Rey-Debove, 1971, pp. 180-188). Le postulat à la base de cette approche est celui-ci : il est possible d'accéder au sens autant par voie ethnographique que par voie linguistique (les contextes, c'est-à-dire les explications linguistiques). En effet, comme l'a déjà bien vu Mounin dans *Les problèmes théoriques de la traduction* (1963), en particulier dans le chapitre XIII intitulé « L'ethnographie est une traduction »[1], pour connaître le sens il ne suffit pas de connaître les mots, mais il faut aussi connaître les choses auxquelles se réfèrent les mots. C'est d'ailleurs le principe fondamental à la base des traductions d'Eugene Nida : « Les mots ne peuvent pas être compris correctement, séparés des phénomènes culturels localisés dont ils sont les symboles » (cité par Mounin, p. 237). Refuser ce postulat reviendrait en fait à nier, d'une part, le mécanisme d'acquisition du langage par l'enfant et, d'autre part, la possibilité d'apprentissage d'une langue étrangère par des séjours à l'étranger. L'accès au sens par la voie ethnographique signifie le recours aux définitions référentielles d'une langue.

Ces principes étant admis, nous avons alors choisi subjectivement un domaine à explorer : le champ sémantique des sièges. Ensuite nous avons procédé à un relevé provisoire des termes — une soixantaine — susceptibles de faire partie de ce champ, à partir du plus grand nombre de sources possibles : dictionnaires d'usage, dictionnaires analogiques, dictionnaires de synonymes, encyclopédies, ouvrages de vulgarisation, ouvrages spécialisés, magazines, journaux, revues, etc. Comme il s'agissait de mots correspondant à des réalités concrètes, nous avons exprimé leur définition référentielle au moyen d'illustrations représen-

---

1. Par ethnographie, Mounin entend « la description complète de la culture totale d'une communauté donnée », et par culture, « l'ensemble des activités et des institutions par où cette communauté se manifeste (technologies, structure et vie sociale, organisation du système des connaissances, droit, religion, morale, activités esthétiques) » (1963, p. 233).

tant chacun de ces objets. C'est pourquoi nous avons dû faire appel à un dessinateur qui s'est chargé d'illustrer, de façon schématique et dépouillée, les différents types de sièges correspondant aux unités relevées empiriquement. Afin de ne préjuger en rien des résultats, ce relevé provisoire incluait aussi bien des termes comme *chaise curule* et *balancelle* que *faldistoire, confident, indiscret, bergère, voltaire, méridienne*, etc. (dont il a déjà été question au début de ce chapitre). C'est ainsi qu'ont été exécutés 101 dessins visant à représenter les 60 unités provisoires, puisque plus d'une illustration correspondait parfois à une même unité, de manière à permettre au moment de l'analyse certains recoupements, comme procédure de vérification. C'est alors que nous avons eu recours à la technique de l'enquête auprès de 65 sujets québécois âgés d'une vingtaine d'années[2].

Du point de vue proprement méthodologique, qui nous occupe ici, il ressort de cette tentative que les résultats obtenus sont sujets à confirmation statistique et qu'ils atteignent ainsi un niveau satisfaisant d'objectivité. La détermination initiale du champ de recherche demeure cependant subjective. Tous les autres problèmes ne sont pas pour autant résolus. Si la technique permet en effet d'aboutir objectivement à des résultats, il n'en reste pas moins que les définitions initiales ont un caractère référentiel et, partant, non linguistique. C'est ainsi que l'on retombe dans les difficultés mentionnées antérieurement à propos des analyses menées dans une perspective anthropologique (comme dans le cas de Lounsbury, par exemple). De plus, comme le nombre d'unités obtenues paraît peu élevé en comparaison du nombre de mots relevés préliminairement à l'aide de corpus divers (une vingtaine sur 60 environ dans le cas de notre enquête sur le champ séman-

2. Pour une présentation plus détaillée de cette tentative, voir notre article écrit en collaboration avec CHARRON, intitulé Réflexions épistémologiques et méthodologiques sur l'axiologie, *La Linguistique*, 1981, XVII, 2.

tique des sièges), il est à se demander si cette absence de convergence ne dissimule pas quelque difficulté plus sérieuse de nature encore indéterminée. Enfin, comme il s'agit d'illustrations référant exclusivement à des objets concrets, on peut légitimement s'interroger sur le bien-fondé de la procédure dans le cas de termes abstraits. Pour l'instant, il semble bien que l'on pourrait recourir, s'il était question d'entités abstraites, à des enquêtes d'un genre différent. Par exemple, il pourrait s'agir de questionnaires empiriques, semblables à ceux proposés par A. Naess et son équipe pour préciser des notions comme la synonymie, l'ambiguïté, etc. (1952). Il serait également possible de procéder, à la manière de H. Holec dans ses recherches sur les champs lexicaux (1974, chap. 4), à des enquêtes menées auprès de groupes de personnes réunies qui tentent de dégager ensemble, grâce à des discussions appropriées, des définitions contrastives.

III / *Les séries dérivationnelles.* — Le difficile problème de la délimitation des champs sémantiques paraît donc présenter, bien qu'à des degrés divers, des difficultés quasi insurmontables, du moins d'après les solutions examinées jusqu'ici : points de départ intuitifs, et critères de choix des unités, soit d'ordre conceptuel, soit objectifs mais extra-linguistiques. Il existe toutefois un certain nombre d'autres tentatives qui présentent cette caractéristique commune d'être à la fois objectives et de nature proprement linguistique. C'est pourquoi il convient dès maintenant de les examiner afin d'en mesurer la portée. Le premier procédé dans ce sens est très certainement celui qui consiste à partir non pas d'un concept choisi arbitrairement mais du lexique total d'une langue et à en regrouper les signes à partir de leur affinité formelle, c'est-à-dire de leur ressemblance au niveau du signifiant. C'est ainsi, par exemple, qu'une série comme *boucherie, boulangerie, charcuterie, droguerie, épicerie, librairie, pâtisserie, poissonnerie, quincaillerie,* etc., dont les éléments présentent une marque formelle identique, le suffixe -*erie* paraît, du moins à première vue, susceptible de constituer sans *a priori* conceptuel le champ sémantique des endroits où l'on vend des produits de consommation. La difficulté avec cette procédure c'est que, d'une part elle ne saurait suffire à elle seule à l'établissement de champs sémantiques entiers, puisqu'en vertu de l'arbitraire du signe il existe bon nombre de mots apparentés quant à leur signifié mais non quant à leur signifiant (par exemple, *supermarché, alimentation, pharmacie*, dans la série ci-dessus); d'autre part, même un regroupement formel de la sorte repose en définitive sur une décision *a priori* d'ordre conceptuel : s'il en était autrement, tous les termes de la langue française terminés en -*erie* devraient figurer dans le même champ sémantique (par exemple, *draperie, raffinerie, singerie, sucrerie*, etc.). Jusqu'ici d'ailleurs aucun champ sémantique ne paraît avoir été établi exclusivement de cette manière. En français les noms des arbres fruitiers (*pommier, poirier, cerisier*, etc.) sont apparentés aux noms de fruits (*pomme, poire, cerise*, etc.), mais la langue française compte des unités en -*ier* (comme *panier, particulier, entier*, etc.) qui ne font pas partie du lexique des arbres fruitiers.

Quant au champ sémantique des sièges, pour reprendre notre exemple antérieur, il ne comporte vraisemblablement, pour une soixantaine de termes, que deux unités, *banc* et *banquette*, apparentées à la fois sur le plan du signifiant et sur le plan du signifié. Sur les 146 termes recueillis par Mounin pour établir le champ sémantique de l'habitation, nous avons relevé une trentaine de paires de termes du type : *baraque* et *baraquement*; *bastide* et *bastidon*; *bâtiment* et *bâtisse*, etc. Il convient toutefois de faire remarquer qu'il s'agit d'une série de groupements formels que l'on trouve après la détermination conceptuelle des unités du champ sémantique de l'habitation et non d'un ensemble de termes tous construits sur un même suffixe, et servant à construire ce champ sans *a priori* conceptuel. Dans le cas du champ sémantique des animaux domestiques, aucun des 12 noms spécifiques des animaux de la ferme ne présente d'affinité formelle. En sémantique, critère formel veut dire à la fois critère formel et sémantique, sinon il ne pourrait être question que d'une structuration morphologique, au seul niveau des signifiants.

Ceux qui ont recours au procédé des séries dérivationnelles le font seulement lors de la deuxième étape de la détermination du champ sémantique, c'est-à-dire comme moyen d'élargir l'éventail des mots faisant partie d'un champ préalablement choisi de façon conceptuelle. C'est ce que fait Ducháček dans la détermination d'un certain nombre d'unités appartenant au champ conceptuel de la beauté en français moderne (par exemple, 1959, pp. 312-313), ou encore Mounin lorsqu'il établit ce qu'il appelle le « champ dérivationnel » des animaux de la ferme : il examine les possibilités dérivationnelles de chacune de ses 12 unités déterminées au préalable. C'est ainsi qu'il dérive *ânesse, ânon* et *ânier* du terme *âne*, ou *porcelet, pourceau, porcher, porcin* et *porcherie* du terme *porc*, etc. Il convient cependant de faire remarquer ici qu'intervient dans chaque cas une décision d'ordre conceptuel en vertu de laquelle sont exclus tous les dérivés (comme *ânerie*, par exemple) qui ne présentent pas en même temps une affinité immédiate de contenu avec le champ étudié. De plus, dans cette perspective, le degré de productivité des séries dérivationnelles, qui n'est très certainement pas le même pour tous les champs, paraît en général peu élevé : il est de 25 % (une cinquantaine de termes sur un total d'environ 200) dans le cas du champ sémantique des animaux domestiques et — après brève enquête — d'environ 30 % dans le cas des sièges (une vingtaine de dérivés sur une soixantaine de termes). Quoi qu'il en soit, il ressort de ces considérations qu'une affinité formelle peut n'être que *quelquefois* l'indice d'une certaine affinité au niveau des signifiés. On voit donc les limites des séries dérivationnelles et, du même coup, des séries étymologiques fortement apparentées, reposant sur les procédés de l'affixation et de la composition. Jusqu'ici, toutes les recherches entreprises dans ce sens, dans le cadre de la morphologie traditionnelle, n'ont pu que conduire à cette constatation : certaines parties du lexique sont, à coup sûr, structurées. Mais les séries dérivationnelles, en dépit de leur caractère objectif et linguistique, ne sauraient être considérées comme une procédure pleinement satisfaisante de délimitation des champs sémantiques.

IV | *L'étymologie.* — Une autre tentative, apparentée par certains côtés aux séries dérivationnelles mais distincte sous d'autres aspects, est celle qui consiste à recourir, dans une perspective structurale, aux données de l'étymologie. Telle est, en fait, l'une des voies proposées par Guiraud : établir la structure sémantique formée par les termes d'une langue remontant tous à un même étymon. C'est ainsi qu'il en arrive à établir des liens entre des mots aussi différents « en surface » que *tête*, *mesure*, *se cacher*, *mendier*, *bricoler*, etc., à partir des sémantismes primaires au niveau de ce qu'il appelle la « structure profonde » fournie par l'étymologie — qui n'a donc rien à voir avec la « structure profonde » de la grammaire générative-transformationnelle — et en passant par un certain nombre de règles de transformation par dérivation. En d'autres termes, alors que le point de départ de son analyse étymologique de la tromperie se situait dans une notion actuelle (l'idée de « tromperie »), le point de départ de sa recherche, dans le cas de la notion de « coup », se trouve cette fois dans un étymon commun à des milliers de termes ne présentant de nos jours aucune relation sémantique apparente. En fait, à y regarder d'un peu plus près, on se rend cependant compte que le critère de délimitation des unités reste toujours un concept, comme « donner un coup », à cette différence près qu'il n'est plus question d'une notion synchronique : il s'agit de retrouver tous les termes qui, à une époque donnée dans le passé, signifiaient « donner un coup », et d'en retracer l'évolution jusqu'à nos jours.

Nous sommes donc loin d'une structuration synchronique de la langue. Le problème n'a été que déplacé.

V | *L'analyse distributionnelle d'Apresjan.* — On comprend, dès lors, que certains aient tenté de mettre au point des procédures plus efficaces de délimitation des champs. Selon le Russe J. Apresjan (*c* 1962, 1966), même si Trier a fait énormément progresser la lexicographie traditionnelle en envisageant le lexique non plus comme une accumulation chaotique de mots isolés et inorganisés, mais bien plutôt comme un assemblage d'unités formant un système, il n'en reste pas moins qu'il n'aurait pas su se libérer totalement de l'influence de la sémantique traditionnelle en tentant de vérifier son hypothèse au moyen de méthodes caduques et non véritablement structurales. C'est en vue de pallier ce défaut méthodologique essentiel qu'Apresjan a mis au point une technique d'analyse à la fois objective et proprement linguistique, qui trouve ses fondements dans le distributionnalisme américain (de Charles C. Fries en particulier) et qui aboutit à la constitution de champs sémantiques structurés. Ce qui caractérise la méthode prônée par Apresjan c'est le fait que, contrairement aux tendances relevées jusqu'ici, la délimitation des champs sémantiques ne repose sur aucun *a priori* conceptuel. Selon lui, en effet, les champs sémantiques d'une langue doivent prendre appui sur la description distributionnelle des significations des mots de cette langue. La distribution, au sens où l'entend Apresjan, comprend d'une part une liste des modèles structuraux fournis par l'analyse syntaxique (comme par exemple N + V + N, N + V + Prp + N, N + V + A, etc., pour l'anglais) et d'autre part une classification des parties du discours obtenue par l'application de la technique de substitution suivant la procédure de Fries. Par exemple, les substantifs sont divisés en animés et inanimés d'après leurs possibilités formelles de remplacement par des pronoms comme *he*, *she*, *who* d'une part, et *it* et *what* d'autre part. Les substantifs du premier groupe se subdivisent à leur tour en deux sous-groupes : ceux qui désignent une personne (substituts : *he, she, who*) et ceux qui ne désignent pas une personne (substituts : *he, she, who*, ou *it, what*). Ceux qui désignent une personne se subdivisent à leur tour en substantifs désignant les personnes de sexe masculin (substitut : *he*) et en substantifs désignant les personnes de sexe féminin (substitut : *she*), etc. Telle est la première étape à franchir, l'analyse distributionnelle des significations, avant d'en arriver à l'établissement des champs sémantiques. Le point de départ de cette seconde phase n'est donc pas la signification même du mot mais bien la distribution de sa signification, établie formellement.

Pour dégager des champs sémantiques à l'aide de ces données, Apresjan procède à la généralisation suivante : il attribue au mot concret un symbole, qui est celui de la partie du discours à laquelle le mot appartient. Par exemple, il remplace l'adjectif *good*, dans P + *to be* + *good* + *to* + P (P est le symbole des substantifs animés) par A, pour Adjectif, ce qui donne la formule distributionnelle générale : P + *to be* + A + *to* + P. De cette manière, la formule convient à tous les adjectifs susceptibles de figurer dans ce contexte : *cruel* « cruel », *just* « juste », *kind* « gentil », *merciless* « impitoyable », etc. La distribution, précise Apresjan, ne peut donc être le reflet d'une signification lexicale concrète puisqu'il y a eu généralisation. Toutefois, elle en garde la trace sous la forme d'un trait sémantique qui reflète le caractère type de cette signification lexicale et de la signification lexicale de tous les autres adjectifs substituables dans le même environnement. Autrement dit, il s'agit d'attribuer à l'ensemble des unités d'une même partie du discours, figurant dans le même contexte, une signification type commune. Par exemple, dans le cas des adjectifs cités ci-dessus, la signification type qui se dégage est : « S'adressant de manière ou d'autre à quelqu'un. » Cette signification type, selon Apresjan, est distincte des autres significations types des unités dotées d'une formule de distribution différente et sa validité pourrait être testée à l'aide d'informateurs. Des significations types peuvent être attribuées autant aux modèles structuraux (comme N + V + N, etc.) qu'aux formules combinatoires (comme dans le cas de *good* rapporté ci-dessus). Par exemple, pour le modèle structural anglais N + V + A, tous les verbes du dictionnaire susceptibles de figurer à la place de V forment un champ de significations verbales unies par l'idée commune « d'être dans un certain état ou de passer à un certain état », comme dans *to appear modest* « paraître modeste », *to bang shut* « claquer », *to become red* « rougir », *to blush red* « rougir », etc. Ce sont ces champs de significations apparentées qu'Apresjan désigne du nom de champs sémantiques.

Afin de vérifier le bien-fondé de son hypothèse, Apresjan s'est livré à l'étude de 15 modèles verbaux tels qu'établis dans le dictionnaire d'A. Hornby, *The Advanced Learner's Dictionary of English Language*, ce qui signifie environ 450 significations différentes (pour les lettres A à L). Les champs sémantiques dégagés atteignent en général un niveau satisfaisant d'homogénéité, mesuré en degré de saturation. Si, par exemple, pour un modèle donné, sur 29 significations concrètes 28 font effectivement partie du champ (c'est-à-dire qu'une signification ne présente pas de trait commun avec toutes les autres), la saturation du champ sera de 96,5 %. Tel est le cas, précisément, du modèle n° 7, Sujet + verbe + objet + adjectif : *Don't get your clothes dirty* « Ne salis pas tes vêtements ». La signification type du champ sémantique est : « Force physique agissant sur un objet et accompagnée du changement de son état. » Les verbes faisant partie de ce champ sont du type suivant : *to bang the door shut* « claquer la porte », *to bend something double* « plier quelque chose en deux », *to cleave the head open* « fendre la tête », etc. Ainsi, chaque champ sémantique est établi sur la base d'une analogie de signifiés, dans la mesure toutefois où cette analogie est reflétée dans une forme linguistique, c'est-à-dire repérable au moyen d'un indice formel, la distribution. A titre d'illustration, voici quelques-uns des champs sémantiques présentés dans l'article d'Apresjan : Nº 3. Sujet + verbe + nom ou pronom + *(not) to* + infinitif : *I advised him to do it* « Je lui ai conseillé de le faire »; signification du champ sémantique : « casualité ou impulsion ». Exemples : *to cause somebody to do something* « pousser quelqu'un à faire quelque chose », *to command somebody to do something* « ordonner à quelqu'un de faire quelque chose », etc. Nº 19. Sujet + verbe + objet indirect + objet direct : *Our teacher gave us an English lesson* « Notre professeur nous donnait une leçon d'anglais »; signification du champ sémantique : « don, transmission ». Exemples : *to accord somebody a warm welcome* « réserver un accueil chaleureux à quelqu'un », *to bequeath somebody money* « léguer de l'argent à quelqu'un », etc. Quant aux autres champs sémantiques dégagés et rapportés dans le même article, ce sont : « opinion », « sensation, perception », « actions propres à l'homme (parole, pensée, désir et autres) », et « transmission d'information ».

La procédure d'analyse mise au point par Apresjan constitue sans aucun doute la tentative la plus poussée qui existe à l'heure actuelle de structurer sous forme de champs les significations lexicales d'une langue donnée à partir de critères rigoureusement opératoires, à la fois objectifs et linguistiques. Cette technique ne va toutefois pas sans soulever un certain nombre de difficultés déjà relevées d'ailleurs par T. Todorov dans ses « Recherches sémantiques » (1966). Pour adopter sans restriction le modèle d'Apresjan, il faudrait accepter tout d'abord le postulat de base suivant lequel ce sont les propriétés grammaticales des mots qui déterminent leur sens. Cela revient à demander une adhésion à la formulation bien connue de Zellig S. Harris : « Deux morphèmes qui ont des significations différentes diffèrent aussi quelque part dans leur distribution. » Néanmoins il n'est peut-être pas toujours évident que les classes sémantiques soient toujours des subdivisions des classes grammaticales. Par exemple, d'après la technique esquissée par Apresjan, des mots comme *parti*, *partir* et *départ*, étant donné la différence de leur distribution, ne seront peut-être jamais appelés à figurer dans un même champ sémantique en dépit d'une affinité évidente au niveau de leurs signifiés. Le problème reste entier même en rejetant le principe d'une correspondance *biunivoque* entre certaines significations et certaines distributions et en réduisant la dépendance, comme l'a fait Apresjan en 1963, en une relation simple : une différence sémantique peut ne pas se manifester par une différence syntaxique, mais toute différence syntaxique est nécessairement le reflet d'une différence sémantique (d'après Todorov, p. 13).

La théorie d'Apresjan repose en définitive sur un raisonnement circulaire auquel même le distributionnaliste le plus convaincu n'a pas pu échapper jusqu'ici : « On arrive à ce résultat que les unités réunies dans une même classe sur la base de leurs combinaisons syntaxiques, ont les mêmes possibilités de combinaisons syntaxiques » (Todorov, p. 14). C'est ce qui fait qu'Apresjan se doit d'admettre, en cours d'analyse, que les significations sont données d'avance : pour pouvoir établir la formule distributionnelle d'une signification — étape préalable à la constitution des champs sémantiques — il faut déjà connaître cette signification, laquelle, dans le contexte actuel de la recherche sémantique, est fournie empiriquement par les dictionnaires. Les champs sémantiques structurés d'Apresjan supposent donc résolus au départ les problèmes de la détermination même du sens d'une unité linguistique, comme il le reconnaît lui-même implicitement lorsqu'il déclare ne pas étudier le sens mais bien une « signification syntactique ». C'est pourquoi nous ne partageons pas l'optimisme de J.-J. Nattiez qui voit dans la perspective distributionnelle la voie « épistémologiquement la plus sûre » susceptible de faire progresser la recherche sémantique dans un sens positif (1973, p. 239). Il est significatif à cet égard qu'Apresjan ait, par la suite, donné une nouvelle orientation à ses recherches sémantiques (construction d'une « langue conceptuelle » à la base de la langue naturelle — voir Apresjan, 1973, *Principles and Methods of Contemporary Structural Linguistics*, The Hague, Paris, Mouton, 349 p. chap. 11).

Lorsque Dubois (1962 *a*, p. 1), de son côté, pose que les champs sémantiques se devraient d'être constitués en systèmes pour que les procédures structuralistes soient pleinement efficaces, il n'a certainement pas tort. Il est toutefois à se demander si l'on ne devrait pas renverser les termes de la proposition : l'insuccès des techniques proprement linguistiques ne pourrait-il pas provenir précisément du fait que les champs sémantiques ne se révèlent pas être en tout point des systèmes ?

4. LA DÉLIMITATION DES CHAMPS ENTRE EUX

La délimitation d'un champ ainsi que la délimitation des unités à l'intérieur d'un même champ posent, comme on vient de le voir, des problèmes d'ordres divers, suivant les critères adoptés. Pourtant, on ne saurait s'arrêter là. Notre tour d'horizon serait certes incomplet s'il ne comprenait quelques considérations sur la question, complexe (comme tout ce qui touche au domaine sémantique d'ailleurs), de l'articulation des champs entre eux. En d'autres termes, le lexique d'une langue se présente-t-il comme une hiérarchisation de champs lexicaux juxtaposés, sans lacune ni chevauchement ? Pour Trier les champs lexicaux (tout comme les champs conceptuels) s'unissent entre eux pour former des champs d'un niveau supérieur, ces derniers s'unissant à leur tour à d'autres champs pour former de nouveaux champs à un niveau encore supérieur, et ainsi de suite jusqu'à ce que tout le vocabulaire soit structuré. Pour que pareille articulation des champs entre eux soit possible, il lui paraît nécessaire de considérer chaque champ, tant sur le plan lexical que sur le plan conceptuel, comme une unité close. La création ou l'élaboration d'un sous-ensemble isolé, clairement délimité, lui apparaît comme une hypothèse de travail nécessaire. Il convient d'autant plus d'examiner cette hypothèse qu'elle a été remise en cause il y a quelque temps par E. H. Bendix (c 1966, 1970).

Selon Bendix, contrairement à ce que croyait Trier, il ne serait pas nécessaire de considérer comme fermé un champ sémantique afin de pouvoir en dégager la structure. Dans son « Analyse componentielle du vocabulaire général », voici ce qu'il écrit : « Nous pensons qu'on peut entrer dans le système sémantique continu en un point arbitraire » (p. 104). Son raisonnement est fondé sur l'observation suivante : la plupart des domaines lexicaux étudiés jusqu'ici, comme les termes de parenté, les systèmes des pronoms, les noms de couleurs, etc., forment des groupes naturels privilégiés, peu représentatifs du lexique en général. Il se propose alors d'analyser un ensemble de verbes en anglais, en hindî et en japonais, mais prétend aller au-delà de l'analyse componentielle traditionnelle en choisissant un petit nombre de verbes seulement, formant un sous-ensemble d'un réseau d'oppositions plus large. Bendix précise qu'il n'est pas impossible que les verbes étudiés forment eux-mêmes un domaine privilégié, comme c'est le cas pour les termes de parenté, mais il ajoute aussitôt que le système plus vaste dont ils font partie n'est pas, du moins à l'heure actuelle, délimitable de façon claire. Il en conclut qu'il se voit ainsi contraint de n'extraire des verbes analysés que les composants sémantiques qui se dégagent de leurs oppositions mutuelles, sans pouvoir tenir compte des autres composants qui apparaîtraient si ces mêmes verbes étaient comparés aux autres unités de l'ensemble auquel ils appartiennent. C'est là reconnaître, en définitive, le caractère incomplet de ses analyses.

Une simple comparaison avec l'analyse phonologique permettra de mieux saisir la portée du raisonnement de Bendix. Pour l'identification des segments minima, le phonologue compare la nature phonétique du segment étudié avec celle des autres segments avec lesquels il est en opposition. Mais, pour ce faire, il n'est nullement nécessaire de procéder à partir de tel son plutôt que de tel autre : il est possible de dégager, dès le point de départ, les traits pertinents du [d] de *douche*, par exemple, en l'opposant à tous les autres segments susceptibles de figurer dans le même contexte. C'est en ce sens que l'on peut dire que le phonologue entre dans le système phonologique, pour ainsi dire, « en un point arbitraire ». Là-dessus, nous ne pouvons qu'être en accord avec Bendix. Toutefois, là où sa position devient difficile à accepter sans réserve, c'est lorsqu'il prétend structurer de façon valable un petit nombre de verbes, tout en reconnaissant que les définitions de ces verbes sont incomplètes puisqu'elles ne sauraient inclure les composants sémantiques qui apparaîtraient s'il opposait chacun d'entre eux aux autres unités du système plus vaste dont ils font partie. L'attitude de Bendix ressemble à celle du phonologue qui prétendrait aller « au-delà » de l'analyse phonologique classique en ne procédant qu'à partir, par exemple, de quatre consonnes, tout en reconnaissant le caractère incomplet des traits définitoires de chacune des consonnes. Bendix élude le problème de la clôture des champs lexicaux en le reportant, en fait, au niveau du système plus général des verbes, qu'il se garde cependant d'étudier. En définitive, le fait de pouvoir « entrer dans le système sémantique continu en un point arbitraire » n'invalide en rien, contrairement aux prétentions de Bendix, le postulat triérien suivant lequel les champs constituent des entités closes.

Pourtant, certains faits nous autorisent à mettre en cause ce postulat. Par exemple, dans son étude sur le champ conceptuel de la beauté en français moderne, Ducháček (1959) s'est intéressé à la provenance des mots faisant partie de ce champ. A l'examen, il est vite apparu que le champ de la beauté avait emprunté des centaines de mots à une bonne dizaine de champs voisins, en parti-

culier ceux de la puissance, de la richesse et de la grandeur.
C'est ce qu'il a appelé la « migration » des mots d'un
champ conceptuel à l'autre, hypothèse qu'il s'est empressé
de vérifier sur le même champ en comparant cette fois
le français au latin et au tchèque (1961). Par un autre
biais, dans son étude des parties du corps en tarascan
(langue du Mexique), P. Friedrich (1969) en arrive à des
observations d'un type semblable : l'ensemble des termes
désignant les parties du corps (en l'occurrence, des suffixes) connaissent une grande extension dans d'autres
domaines comme ceux de la poterie, des parties d'une
maison, des parties génitales, des émotions et de la perception, des parties d'un arbre, etc.

En remplaçant la notion empirique de champ sémantique par celle de système, Mounin en est arrivé, de son
côté, à montrer dans son étude sur l'habitation que, par la
médiation de traits de sens, les unités d'un sous-ensemble
peuvent figurer dans d'autres sous-ensembles contenant
non seulement des unités du même champ, mais des
éléments appartenant à d'autres domaines sémantiques.
Par exemple, des unités comme *monastère*, *chartreuse* et *laure*
s'apparentent, par le biais du trait /destination religieuse/,
à *église*, *cathédrale*, etc. : ces mots ne font pourtant pas
partie du champ sémantique de l'habitation. Il en va de
même des unités *hôpital*, *hospice*, ou *sanatorium*, qui figurent
aux côtés de *théâtre*, *cinéma*, *gare*, *église*, etc., grâce au trait
/bâtiment ou établissement public/. Il est probable que ce
mode de structuration puisse se retrouver ailleurs. Dans
la perspective de l'analyse de Pottier, on peut assez facilement voir que certains traits servent à réunir les unités
de champs distincts : les mots *lit simple* (par opposition à
lit double) et *chaise* par exemple, contenant le trait /pour
une personne/, et les mots *table* et *pylône* renfermant le
trait /avec matériau rigide/.

Ainsi, il existe un certain nombre de faits montrant
qu'il y a non seulement enchevêtrement intrinsèque des
unités mais rapport de dépendance entre champs. C'est

Typologie des champs lexicaux, d'après leur configuration
(Coseriu, 1975, p. 47)

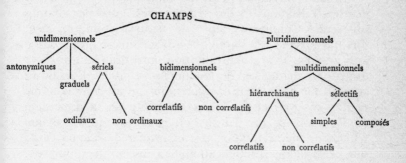

également ce qui ressort d'un examen de la typologie des
champs lexicaux telle qu'esquissée par Coseriu. Du point
de vue de leur « configuration » (c'est-à-dire de la façon
dont les lexèmes sont agencés à l'intérieur des paradigmes)[3],
celui-ci propose une répartition sous la forme d'une structuration hiérarchique. Il faut cependant souligner que si
ce schéma permet d'illustrer le fait que « le lexique d'une
langue n'est pas une classification unique et homogène
(taxinomie) de la réalité [mais bien] un ensemble de
classifications simultanées et différentes » (1975, p. 46,
n. 46), il n'en demeure pas moins que ces différents types
peuvent parfois se combiner entre eux : il arrive que
certains champs soient inclus dans d'autres champs, comme
l'a illustré Coseriu à propos du champ lexical roumain
făptură (« créature ») (1968, p. 10).

En outre, fait observer Coseriu, c'est un fait qu'un
lexème fonctionne parfois dans plusieurs champs à la
fois : par exemple, les adjectifs français *frais* et italien *fresco*
relèvent à la fois du champ des adjectifs tels que *neuf*,

3. Coseriu classe également les champs lexicaux selon deux autres
points de vue : le point de vue ontique (c'est-à-dire de leur sens objectif)
et le point de vue de leur expression (voir 1975, en particulier les pp. 35
et 47-51).

nouveau, vieux, etc., et du champ des adjectifs se rapportant à la température (*froid, chaud,* etc.).

Enfin, souligne l'auteur, on peut quelquefois observer des neutralisations et des syncrétismes entre des champs différents. Comme exemple de neutralisation, on peut dire que lorsque *petit* s'applique aux enfants (par opposition aux grands), il y a neutralisation entre les champs de la dimension spatiale et de la dimension vitale; il y aurait syncrétisme dans le cas de *enfants,* qui agirait comme terme neutre pour *fils* et *fille,* dans le champ de la dimension vitale (1968, p. 11). Ainsi, l'on peut dire qu'il y a non seulement hiérarchisation des champs sémantiques, mais que cette hiérarchisation atteint un niveau de complexité certainement insoupçonné par Trier.

CHAPITRE IV

La notion de points de vue

Il a été question, dans le chapitre qui précède, de l'important problème de la délimitation des champs sémantiques : détermination du domaine à structurer, critères de sélection des éléments appelés à figurer dans le domaine choisi, et articulation des champs entre eux. Nous en sommes maintenant arrivé à l'objectif même des recherches portant sur les champs sémantiques : structurer le lexique d'une langue. En effet, les champs sémantiques ne constituent pas un objectif en soi; ils ne sont en fait qu'une hypothèse, toujours en vogue, sur un mode d'organisation des signifiés linguistiques. Le but ultime consiste à découvrir ce ou ces modes de structuration. Là encore, tout comme c'était le cas pour la délimitation des champs, les méthodes de recherche varient en fonction des critères d'analyse que se donne au départ le sémanticien : il y a autant de techniques que de critères, et presque autant de critères que de chercheurs. Toutefois, comme il s'agit de faits assez bien connus et qu'il serait trop long de discuter ici, ne serait-ce même que des plus importants courants de pensée, nous avons choisi de nous en tenir principalement, dans le présent chapitre, aux implications d'une tendance récente, encore peu connue cependant mais d'apparence prometteuse, celle du philosophe Granger.

I. LES CHEVAUCHEMENTS LEXICAUX

Si l'on se reporte, pour fins de discussion, au deuxième postulat de Trier énoncé au début du premier chapitre (« La totalité du lexique d'une langue se présente comme une hiérarchisation de champs lexicaux juxtaposés, sans lacune ni chevauchement »), on se rend compte qu'il renferme des problèmes de deux ordres : la délimitation des champs sémantiques — objet du chapitre III — et le mode d'organisation des unités à l'intérieur d'un champ. Sur ce dernier point, les vues de Trier sont catégoriques : les éléments d'un champ lexical sont juxtaposés et recouvrent, sans lacune ni chevauchement, toute la surface conceptuelle correspondante. C'est pour mieux faire saisir cette idée qu'il recourt à l'image des pierres d'une mosaïque. Ainsi, le contenu de *Kunst* est délimité par ceux de *List* et de *Wisheit*, et réciproquement. Autrement dit, les frontières d'une unité sont les frontières de l'autre, et ainsi de suite, comme les frontières d'un pays par rapport à celles d'un autre pays. Le seul lien entre ces trois termes est leur domaine de référence : le champ de l'entendement. Le critère de regroupement est donc celui d'une affinité de contenu. Il ne s'agit ni d'un critère objectif, ni d'un critère linguistique formel. La structuration obtenue est d'ordre conceptuel : un rapport de ressemblance perçu entre signifiés.

Il n'en va cependant pas toujours ainsi dans la structuration interne des champs. Par exemple, lorsque Pottier procède à l'intersection des sémèmes correspondant aux lexèmes *chaise, fauteuil, tabouret, canapé* et *pouf*, il montre la présence de certains traits par la médiation desquels les unités seraient réunies. Du même coup, il fait voir en quoi les lexèmes qu'il étudie présentent plus qu'une simple affinité globale au niveau de leurs signifiés respectifs : grâce à ces traits, il y a chevauchement des unités. Ainsi — en supposant que l'analyse de Pottier soit acceptée sans

discussion — il y a chevauchement des couples suivants :
chaise et *fauteuil* (sans bras, avec bras), *chaise* et *tabouret*
(avec dossier, sans dossier), *fauteuil* et *canapé* (pour une
personne, pour plusieurs personnes), etc. Le même phénomène se retrouve dans le champ sémantique des moyens
de transport tel qu'établi, partiellement cependant, par
Duchaček (1973, pp. 32-34) : il y a croisement des signifiés
de *bicyclette*, *motocyclette*, *automobile*, *autobus*, *trolleybus*, *tram-
way*, etc. Le champ sémantique de la cuisson, en anglais,
établi par Adrienne Lehrer, contient quelques termes dont
les signifiés empiètent les uns sur les autres : *broil* et *roast*,
roast et *bake*, par exemple (1974, p. 31). La plupart des
études empiriques entreprises jusqu'à maintenant montrent que la formulation de Trier, peut-être juste en ce qui
concerne le champ de l'intelligence, ne pouvait être
généralisée au niveau de tout le lexique. C'est un fait
maintenant bien attesté qu'il y a très souvent chevauchement entre les unités à l'intérieur d'un champ.

Quant à la question des lacunes lexicales, il n'y a pas
lieu de nous y attarder non plus puisqu'une simple observation d'un champ comme celui des animaux domestiques
nous fait bien voir l'existence de « trous » dans le lexique.
Par exemple, c'est un fait maintenant devenu banal de
faire remarquer qu'il n'existe en français aucun terme
spécifique pour désigner le petit d'un mulet, à l'égal
d'*ânon*, de *poulain* ou de *veau*. Nous ne saurions adopter ici
l'attitude d'Adrienne Lehrer qui consacre dans son ouvrage
intitulé : *Semantic fields and lexical structure* (1974) tout un
chapitre (pp. 95-109) aux *lexical gaps* — les lacunes
lexicales — mais ne fait qu'effleurer, ici et là, l'importante
question des chevauchements.

Il faudrait cependant se garder de confondre chevauchement de signifiés et délimitation imprécise du monde
réel. Ainsi, selon von Wartburg (1969), les sphères conceptuelles ne sont pas toutes de même nature : certaines sont
délimitées avec précision et demeurent relativement stables
alors que d'autres sont modifiées au cours des âges. Dans

le premier cas, on trouve les liens de parenté, les parties du corps, les phénomènes relatifs à la température, les activités quotidiennes de l'homme (manger, boire, dormir), etc.; dans l'autre, il s'agit plutôt des institutions créées par l'homme : vie politique, moyens de transport, habillement, etc. Bien sûr, précise von Wartburg, de nombreux déplacements peuvent se produire dans chacun de ces groupes (nous en avons vu un exemple dans le deuxième chapitre avec la terminologie latine de la parenté) : l'opposition n'est que relative et comporte des gradations. Que l'on se réfère par exemple au domaine affectif : où commence l'amour et où finit l'amitié ? Quelles sont, dans un autre domaine, les limites précises entre le jour et la nuit ? Selon von Wartburg, ce serait méconnaître la vraie nature de la langue que de vouloir ordonner clairement ces sphères conceptuelles. Dans tous les cas de ce type, la structure serait plus lâche : il n'y aurait pas d'organisation au sens propre.

Or, il ressort de l'ensemble des considérations émises au cours de notre deuxième chapitre (sur l'organisation de l'expérience humaine) que pareille façon d'envisager les phénomènes n'est pas conforme à une perspective proprement linguistique. En effet, le raisonnement de von Wartburg implique que les structures linguistiques ne sont qu'un décalque de la réalité : des limites imprécises dans le monde objectif entraîneraient nécessairement un flou au niveau des concepts et de la langue. Pourtant, si l'on prend le domaine des couleurs, il apparaît clairement qu'il s'agit là d'une sphère conceptuelle très rigidement organisée suivant chaque langue particulière, alors que la réalité objective correspondante se présente comme un continuum. C'est que les valeurs lexicales doivent être définies non pas en fonction des précisions ou des imprécisions de la réalité mais bien par leurs oppositions internes. Les phénomènes de ce type ne peuvent s'expliquer, avons-nous fait remarquer, que par l'arbitraire de la lexicalisation : les délimitations objectives *peuvent* coïncider avec des distinctions lexicales, mais pas nécessairement; comme corollaire, une absence de délimitation stricte dans la réalité n'entraîne pas nécessairement une imprécision au niveau des concepts et du lexique correspondants. C'est donc de nouveau l'arbitraire du signe, ou plus précisément de la lexicalisation, qui permet en définitive de rendre compte des chevauchements des signifiés linguistiques, quel que soit le caractère des limites, précises ou imprécises, du réel.

2. L'HYPOTHÈSE DE GRANGER

La question des recouvrements de signifiés peut être envisagée sous un angle différent. C'est du moins ce qui ressort de l'examen d'une idée émise récemment par Granger. En effet, ayant procédé à l'examen critique des champs sémantiques de l'habitation et des animaux domestiques établis par Mounin, Granger émet l'hypothèse suivante : un champ sémantique devrait consister en une confrontation de plusieurs organisations différentes, en tout ou en partie, d'un même lexique ou d'une même partie de lexique. Il parle à ce propos de la « nature particulière de l'organisation sémantique, organisation feuilletée et mobile... » (1968, p. 185). Ce sont ces organisations différentes qu'il appelle des points de vue. Par exemple, suggère-t-il, dans le cas de l'habitation, ce qu'il faut étudier ce sont les organisations de ce lexique telles qu'elles apparaissent selon différents points de vue (de la construction, de l'occupation, de l'esthétique architecturale, etc.). Autrement dit, contrairement à l'hypothèse de Trier, les mêmes pierres devraient être appelées à figurer dans différentes mosaïques.

3. LES ORGANISATIONS SIMULTANÉES DU SENS

A) *Quelques observations*

L'appartenance d'une même unité à une organisation sémantique multivoque a déjà été perçue par plusieurs. Dès 1963, dans ses *Problèmes théoriques de la traduction*, Mounin attribue les difficultés à structurer le lexique sous forme de système au fait que la structure d'un champ est déterminée à partir de points de vue différents qui se chevauchent ou qui laissent des lacunes (p. 92). Plusieurs sous-systèmes amalgamés, précise Mounin, pourraient être ainsi observés dans la terminologie des couleurs chez les Latins : par exemple, termes hérités de l'indo-européen et peut-être même de l'étrusque (*ater*, etc.) ; termes symboliques d'inspiration religieuse ; termes provenant de la désignation des textiles et des colorants ; termes désignant les matières de coloration caractéristique (*cerasinus, aureus*), etc. (p. 93, n. 2). Il en va de même de la nomenclature du pain pour la région d'Aix : tous les termes relevés par Mounin « correspondent à des « objets » différents, soit par la matière (farine ordinaire, ou pâtissière), soit par le poids, soit par la panification (levure ou levain), soit par la cuisson, etc. » (p. 66). Dans ses articles sur l'habitation et sur les animaux domestiques (1965), Mounin en arrive à une conclusion identique : les mêmes pierres peuvent figurer dans diverses mosaïques.

A la même époque, dans son compte rendu de la théorie sémantique de J. J. Katz et J. A. Fodor, D. Bolinger (1965, p. 565) fait remarquer à un certain moment qu'un piano peut être classé parmi les instruments musicaux, mais qu'il peut en même temps être considéré tout simplement en tant que meuble. Dans « Trois principes d'organisation du vocabulaire », G. Gougenheim (1967) remarque que du seul point de vue sémantique (les points de vue étymologique et formel étant exclus) un même mot peut, selon divers besoins ou différentes circonstances, être associé à des « groupements sémantiques » variés : par exemple, *cheval* peut être associé tantôt à *bœuf, mouton, chèvre,* tantôt à *bride, selle, étriers,* tantôt à *harnais, timon, rênes, voiture,* tantôt à *course, lad, jockey, entraîneur, pari,* etc. (p. 66). Les interprétations entre champs différents constatées par Coseriu (1968, p. 10) dans le cas du champ lexical roumain *făptură* (« créature »), par exemple, s'apparentent au même phénomène. De son côté, à propos des langages documentaires, J.-C. Gardin note qu'un terme technique est mis en relation avec d'autres termes techniques en divers points d'une classification. Par exemple, un *matériau* est conçu comme matière première, comme agent secondaire en cours de production, comme produit final, comme sous-produit, etc. (rapporté par Mme Hirschberg, 1967, p. 67). Abordant la question de la polysémie, dans « L'envers des mots », M. Pergnier (1976, p. 122) est amené à faire état de la possibilité pour un même mot de faire partie simultanément de plusieurs champs conceptuels : le mot *tableau,* écrit-il, peut entrer à la fois dans le champ des objets servant à écrire (avec *cahier, papier, carnet,* etc.), dans le champ des œuvres d'art (avec *dessin, peinture, aquarelle,* etc.), dans celui des objets portant des instruments de mesure, et dans quelques autres. Sur le plan des recherches engagées dans le concret, signalons l'enquête de J.-L. Fossat sur le vocabulaire de la charcuterie exposé pour la première fois dans ses usages sociaux complexes (compte rendu par Mounin, 1974, p. 122). Au cours de cette étude d'envergure, au moins cinq champs lexicaux superposés sont mis à jour : le lexique des vétérinaires, celui des chevillards, celui des éleveurs, celui des bouchers, et celui des clients. Il en résulte ce que Mounin appelle « un véritable multilinguisme lexical » *(ibid.).* Lorsque Schogt (1976, p. 24) fait observer qu'un terme polysémique peut être le point de départ de séries engendrant de nouvelles séries (le terme *bois,* par exemple, associé tantôt à *arbre* et à *forêt,* tantôt à *parc* et à *jardin,* tantôt à *métal* et à *pierre*, etc.), il dit en termes différents de Granger qu'un même mot peut être enregistré simultanément de différents points de vue.

B) *Les vues de Matoré*

A cet égard, l'attitude la plus caractéristique est cependant celle de Matoré. Selon lui, vouloir appliquer intégralement le structuralisme au lexique d'une langue déterminée serait un projet dénué de signification et comportant nombre de redites. « Le *tabouret* du XVIIᵉ siècle, écrit Matoré (*c* 1953, 1973, p. XXIX), appartiendrait en effet à plusieurs champs : celui de l'*étiquette mondaine*, celui des *meubles* (dans la mini-structure des *sièges*) et celui de la notion, implicite au temps de Molière ou de Saint-Simon, de *confort* (les Précieuses parlaient elles-mêmes des « commodités de la conversation »). » Il en conclut alors à la non-homogénéité du vocabulaire : les termes appartiennent à plusieurs registres. Toutefois, se basant sur des constatations tout à fait semblables, Granger se refuse à en tirer, comme Matoré, des conclusions négatives. Au contraire. Partant du fait que le lexique d'une langue présente un caractère le plus souvent hétérogène, le philosophe érige en un principe d'analyse les observations pertinentes de ses devanciers. Un peu comme Trier à son époque, Granger cristallise en quelque sorte des idées qui sont déjà dans l'air en suggérant de vérifier, comme hypothèse sémantique de départ, ce qu'il appelle « la pluralité ouverte des organisations simultanées du sens » (1968, p. 186).

C) *La typologie des champs lexicaux de Coseriu*

Il convient ici de nous attarder quelque peu à une autre tentative d'importance, qui vient corroborer les vues de Granger. Il s'agit de la classification des champs lexicaux esquissée récemment par Coseriu. Dans un article intitulé

« Vers une typologie des champs lexicaux » (1975), Coseriu
tente d'intégrer la perspective formelle des oppositions
linguistiques à la théorie des champs lexicaux. L'aspect le
plus suggestif de cette typologie, qui mérite que l'on s'y
arrête, demeure à notre avis le recours à la notion de
« dimension », c'est-à-dire de « point de vue ou critère
d'une opposition donnée quelconque » (p. 35). Sa classification repose en effet sur cinq critères : 1) les types
formels d'opposition; 2) le nombre de « dimensions »
d'un champ; 3) le mode de combinaison des « dimensions »
d'un champ; 4) le type ontique des oppositions; et 5) le
type de rapport entre le contenu et l'expression. La mise
en application de ces critères permet d'aboutir à une
classification des champs lexicaux de trois points de vue
différents : 1) selon leur configuration (c'est-à-dire le mode
d'agencement des unités entre elles); 2) selon leur sens
objectif (c'est-à-dire leur type de rapport avec la réalité
extra-linguistique); et 3) selon leur expression. Si l'on y
regarde d'un peu plus près, on se rend compte que seuls
les trois premiers critères servent à établir la configuration
des champs; le quatrième n'est utilisé que pour la classification selon le deuxième point de vue (le sens objectif),
et le cinquième critère, pour la classification selon le
troisième point de vue (l'expression). Nous ne nous
intéresserons ici qu'à la configuration des champs.

Comme on l'a vu au chapitre précédent, Coseriu
établit un premier embranchement, dans sa typologie
configurative, d'après le caractère unidimensionnel ou
pluridimensionnel des champs; les champs pluridimen-
sionnels se subdivisent à leur tour en bidimensionnels et
en multidimensionnels. La dimension étant synonyme de
point de vue, cela revient à considérer que certains
champs ne peuvent être envisagés que d'un seul point de
vue alors que d'autres le sont sous plusieurs. Par exemple,
la série *froid - frais - tiède - chaud* compose la dimension
sémantique : « degré relatif de la température constaté
par le sens thermique ». Comme ce champ lexical apparaît

sous la rubrique des champs unidimensionnels cela signifie
que Coseriu considère les termes de cette série comme ne
relevant que d'un seul point de vue. Par contre, dans le
cas des termes de parenté, plusieurs points de vue sont
possibles : selon le sexe (d'un côté : *frère, oncle, fils,* etc., et
de l'autre : *mère, sœur, tante, fille,* etc.), selon le type de
parenté (la parenté naturelle et la parenté sociale), selon
la ligne (ligne directe et ligne collatérale), selon la direction
(ligne ascendante et ligne descendante), etc. Par contre,
en latin, rapporte Coseriu, le champ des adjectifs concernant l'âge ne repose que sur deux dimensions : l'âge
(senex et *iuvenis)* et la classe désignée (*senex* pour l'âge des
personnes, *vetulus* pour l'âge des animaux et des plantes,
et *vetus* pour l'âge des choses).

La typologie de Coseriu n'est pas la première tentative
du genre. Peu de temps après Trier, L. Weisgerber avait
tenté une première esquisse fondée cependant non pas
sur les rapports d'opposition entre les signifiés mais sur les
rapports entre les signifiés et la réalité extra-linguistique
(d'après Coseriu, 1975, p. 33, n. 9). Mais, ce qu'il y a de
remarquable, c'est que Weisgerber, pourtant imprégné
comme Trier, pour ainsi dire, de l'image de la mosaïque,
ait quand même pu en arriver à concevoir une organisation
des champs en fonction de leur multiplicité de points de
vue. Quant à Coseriu, il est malheureusement très peu
explicite sur le mode de détermination des dimensions
sémantiques : les quelques exemples rapportés paraissent
convaincants mais on n'échappe pas à l'impression qu'il
s'agit de cas minutieusement choisis, tous relativement
simples. Par contre, dès qu'il s'agit de champs plus
complexes, il les ramène à des champs sériels non ordinaux
(unidimensionnels), sous prétexte qu'il s'agit de nomenclatures non organisées sémantiquement. C'est le cas,
écrit-il, des noms d'oiseaux, de poissons, d'arbres, de
fleurs, etc. Les champs de ce type n'étant pas structurés
linguistiquement à ce niveau, leur structuration ne com-
mencerait qu'au niveau de leurs archilexèmes. Dans cette

perspective, cela signifie — si notre interprétation de la pensée de Coseriu est juste — qu'un champ comme celui de l'habitation ne consisterait en définitive qu'en une nomenclature. Les suggestions de Granger tendent pourtant à montrer que même une nomenclature peut et doit être classée selon la multiplicité de ses dimensions. Autrement dit, la typologie de Coseriu cesse d'être opératoire au moment où il est question des zones ouvertes du lexique, c'est-à-dire précisément pour la partie du lexique qui a résisté le plus jusqu'ici à toute tentative de systématisation intégrale. Il reste quand même que cette typologie cadre relativement bien avec la suggestion de Granger. Il y a là une convergence de vues qui méritait d'être mise en évidence.

4. IMPLICATIONS DE LA CONCEPTION DE GRANGER

Il convient maintenant de voir les implications de la proposition de Granger à la lumière de nos considérations antérieures. Le point de départ d'une analyse visant à établir des champs, avons-nous dit, est l'identification du domaine de l'enquête. Granger ne suggère à ce niveau aucune procédure nouvelle susceptible d'éviter un choix subjectif. On n'y trouve guère qu'une allusion au champ sémantique de l'habitation, à propos de l'étude de Mounin, ce qui laisse croire que, sous-estimant peut-être cette question, Granger procède comme la très grande majorité de ses devanciers, c'est-à-dire de façon intuitive. Quant à l'étape suivante, la délimitation des unités appelées à faire partie du champ sémantique choisi, elle est également passée sous silence. Comme Granger ne se prononce nullement sur cette question, il est difficile de voir s'il favorise une procédure intuitive, ou s'il prône le recours, comme l'a fait Mounin, à la définition lexicographique de l'unité désignant le champ (*habitation*, par exemple), sans que l'on sache, dans ce cas, comment surmonter les difficultés relevées précisément par Mounin (et auxquelles nous avons fait allusion dans le chapitre précédent). Les propos de Granger ne concernent pas la question de la délimitation du champ sémantique. Son apport est donc à situer en deçà de cette étape.

La préoccupation première de Granger porte en effet sur le mode de structuration des unités à l'intérieur d'un champ donné. Qu'est-ce à dire ? Selon lui, comme il importe avant tout de confronter diverses organisations d'un même ensemble de termes, il s'agit en premier lieu de déterminer les différents points de vue servant de critère de classification. Sur cette importante question, Granger suggère de recourir à ce qu'il appelle les significations. Par signification, il entend « *ce qui* résulte de la mise en perspective d'un fait à l'intérieur d'une totalité, illusoire ou authentique, provisoire ou définitive, mais en tout cas vécue comme telle par une conscience » (1968, p. 11). Cela revient à dire recourir à l'expérience, qui échappe à une structuration manifeste, recourir à un *vécu comme totalité* (p. 112). En d'autres termes, si nous interprétons bien la pensée de Granger, la détermination des différents points de vue ne peut se faire que de manière empirique, c'est-à-dire par une observation de la pratique linguistique. Granger ajoute néanmoins une précision d'importance : les points de vue à déterminer sont ceux « qui paraissent dominer l'usage d'un champ lexical » (p. 173). Autrement dit, comme le point de départ de l'analyse est *un vécu*, il est évident que subsistera toujours une certaine part d'arbitraire dans l'établissement des points de vue de l'usage linguistique. Dans cette perspective, précise-t-il, les dictionnaires ne sauraient être considérés en tant que tels comme des corpus valables puisqu'ils réduisent, sous une forme abstraite, la multiplicité des organisations sémantiques; seuls les exemples qu'ils fournissent, à la suite de certaines définitions, peuvent être utiles au sémanticien, en tant qu'ils sont le reflet d'expériences vécues.

Afin d'illustrer sa pensée, Granger suggère, à propos du champ sémantique de l'habitation, les points de vue de la construction, de l'occupation et de l'esthétique architecturale; il ajoute alors : etc. Comment préciser les limites de cet « etc. » ? Dans son récent ouvrage (1976), il étudie les concepts d'Aristote en fonction de ce qu'il appelle les trois dimensions de son analyse : psychologique, phénoménologique et logique. Il faudrait se garder de voir en ces trois axes ou points de vue une doctrine aristotélicienne : il s'agit, nous prévient Granger, d'une « *structure latente* explicative » (p. 12), c'est-à-dire d'une structure sous-jacente, non manifestée en tant que telle dans les écrits aristotéliciens, mais condition des distinctions qu'il effectue. Ces trois points de vue, qui s'enchevêtrent et se recoupent dans les textes d'Aristote (comme on le verra un peu plus loin), proviennent en définitive de la culture même de Granger, de sa connaissance de la philosophie antique, en un mot, de son expérience. Est-ce à dire qu'une analyse du même type entreprise par un autre philosophe conduirait à des résultats totalement différents ?

Les points de vue d'une analyse ayant été ainsi fixés, empiriquement, suit alors l'étape de la mise ensemble des unités du champ préalablement choisi. C'est à ce niveau de l'analyse que se révèle particulièrement stimulante la proposition de Granger : « *Confronter plusieurs organisations différentes, en tout ou partie, d'un même lexique,* ou plus modestement d'un même secteur, organisations qui correspondront à plusieurs *points de vue* de l'usage linguistique » (1968, p. 172). Autrement dit, explique-t-il, c'est toujours de la même substance lexicale, des mêmes unités à quelques vocables près, qu'il s'agit de traiter : les mêmes pierres apparaîtront dans diverses mosaïques. Deux méthodes s'offrent alors au chercheur : une analyse de contenu, et une analyse distributionnelle. Ce sont ces deux procédures que nous allons maintenant examiner.

5. L'ANALYSE DE CONTENU

Récemment, dans *La théorie aristotélicienne de la science* (1976), Granger s'est livré à une première exploration de son hypothèse en s'attachant cependant, comme il le reconnaît lui-même, « au contenu plutôt qu'à la forme lexicale » (p. 11). Dans cet ouvrage, il tente de situer chez Aristote la notion d'*epistèmè* en dégageant les grandes lignes d'un système de connaissance. C'est ainsi qu'il en arrive à dégager deux séries distinctes parmi les quatre termes de *phantasia* (imagination), *aisthèsis* (sensation), *diánoia* (pensée judicatoire), et *hupólēpsis* (jugement). Par exemple, du point de vue phénoménologique, il fait une coupure entre l'imagination, la sensation et la pensée judicatoire d'un côté, et le jugement de l'autre; par contre, d'un autre point de vue, logique, il associe l'imagination, la pensée judicatoire et le jugement, isolant ainsi, cette fois, la sensation. Tout l'ouvrage consiste d'ailleurs en distinctions entre diverses espèces de connaissance, chez Aristote, selon trois dimensions ou points de vue : l'axe psychologique, l'axe phénoménologique et l'axe logique. Grâce à ce type d'analyse, Granger arrive à rendre compte des contradictions ou équivoques apparentes dans les textes d'Aristote.

Suivant la même procédure, appliquée cette fois au lexique de l'habitation, on pourrait assez facilement en arriver à montrer que des unités comme *couvent*, *hôtel*, *hôpital*, *monastère*, *tente*, etc., appartiennent simultanément à diverses organisations :

1. Point de vue de la fonction : *a)* éducation : *couvent*, etc.; *b)* hébergement : *hôtel*, *hôpital*, etc.; *c)* loisirs : *tente*, etc.;
2. Point de vue de la localisation : *a)* à la ville : *hôpital*, etc.; *b)* à la campagne : *monastère*, *tente*, etc.; *c)* à la ville et à la campagne : *couvent*, *hôtel*, etc.;

3. Point de vue de la propriété : *a)* un ou plusieurs individus : *tente*, etc; *b)* organisme privé : *monastère*, etc.;
c) organisme public : *hôpital*, etc.; *d)* organisme privé
ou public : *couvent*, *hôtel*, etc.

Quant aux séries associatives de Saussure, elles ne font
qu'illustrer, comme l'a déjà bien vu Schogt (1968, p. 445),
le même phénomène : le chevauchement de facteurs
hétérogènes dans la détermination de la position de
l'unité dans l'inventaire de la langue. C'est ainsi qu'*enseignement* peut être considéré du point de vue de l'identité
du radical (*enseignement - enseigner - enseignons*, etc.), du point
de vue de l'analogie des signifiés (*enseignement - apprentissage - éducation*, etc.), du point de vue de l'identité du
suffixe (*enseignement - changement - armement*, etc.), et du point
de vue de la communauté des images acoustiques (*enseignement - clément - justement*, etc.). Or, seules les deux premières
séries ont une pertinence proprement sémantique. Mais,
comme l'a fait remarquer Schogt, la première n'est pas
absolument homogène (le rapprochement entre *enseignement* et *enseigner - enseignons* implique l'identité fonctionnelle
des affixes et des formes flexionnelles) et la deuxième,
comme on l'a vu dans le chapitre précédent, manque de
fondement linguistique.

Les champs associatifs de Bally se situent dans une
perspective semblable. Le mot *bœuf*, écrit-il, « fait penser :
« 1) à vache, taureau, veau, cornes, ruminer, beugler, etc.;
« 2) à labour, charrue, joug, etc.; enfin
« 3) il peut dégager et dégage en français des idées de
force, d'endurance, de travail patient, mais aussi de
lenteur, de lourdeur, de passivité » (1940, p. 195).

A l'analyse, il apparaît que ces associations sont de
deux types : d'un côté, on pourrait parler d' « oppositions »
(sur le plan paradigmatique) du type *bœuf-cheval*, *bœuf-
chèvre*, *bœuf-âne*, etc., ou du type *bœuf-tracteur*, *bœuf-char-
rue*, etc.; de l'autre, il pourrait être question de « contrastes »
(sur le plan syntagmatique) entre *bœuf* et *corner*, *ruminer*,

beugler, *labour*, *joug*, *force*, *lenteur*, etc. Il semble donc bien, à la suite de ces quelques observations, que la structuration même conceptuelle des unités d'un champ sémantique soit quelque chose de beaucoup plus complexe que ce que laisse entendre la formulation de Trier.

Dans cette perspective, il serait intéressant de reprendre le champ sémantique de l'entendement étudié par Trier en appliquant la méthode prônée par Granger. Ce champ pourrait alors montrer, comme le fait remarquer Mounin, une structuration selon deux points de vue au moins : « fonctionnement de l'esprit tel qu'on le concevait au XIIIᵉ siècle, d'une part; usage social des facultés de l'esprit, d'autre part » (1963, p. 93, n. 2). Le champ sémantique de la connaissance paraît d'ailleurs être tout à fait privilégié de ce point de vue : ayant d'abord servi d'illustration à l'hypothèse de Trier (en 1933) dans le cas de la terminologie médiévale des écrivains mystiques allemands, il a par la suite servi de fondement à la sémantique structurale de J. Lyons (en 1963) dans le cas du vocabulaire de la connaissance chez Platon, et il a enfin été utilisé par Granger (en 1976) comme moyen de vérification de son hypothèse, dans le cas de la terminologie d'Aristote cette fois.

6. POINTS DE VUE DE L'USAGE LINGUISTIQUE : LE CHAMP DE L'HABITATION

Comme on l'a vu, Granger ne s'en est pas tenu à des suggestions favorisant un mode de structuration du type conceptuel. Il a en effet proposé de recourir à la technique harrissienne de l'analyse distributionnelle comme mode d'organisation des unités, une fois déterminés empiriquement les points de vue d'un champ. Comme il a très peu explicité ce qu'il entendait par là et qu'il n'a pas fourni d'exemple de ce mode d'analyse, il est difficile de savoir si nous avons bien saisi sa pensée. Afin de dégager les implications de ses propositions, telles que nous les interprétons,

nous allons quand même risquer ici une mise en application, à la fois fragmentaire et provisoire bien entendu,
de sa technique d'analyse. A titre d'illustration, prenons
les 20 unités suivantes, choisies arbitrairement parmi les
146 acceptions (soit un peu plus de 13 %) formant le
champ lexical de l'habitation tel qu'établi par Mounin :
*abbaye, auberge, bastide, bastidon, buron, cabane, cahute, caserne,
chartreuse, cloître, couvent, ermitage, gourbi, hutte, igloo, laure,
manoir, monastère, paillote,* et *repaire.* Si nous comprenons
bien la pensée de Granger, nous devrions en arriver à
découvrir, par analyse distributionnelle, à quelles organisations simultanées, préalablement fixées, appartiennent
ces unités d'un même champ. Pour les besoins de l'analyse,
nous supposerons donc donnés, c'est-à-dire établis empiriquement, les trois points de vue de la fonction, de la
localisation, et de la propriété (sans que soit arbitrairement
subdivisé chacun de ces points de vue, comme on l'a fait
au cours de notre analyse conceptuelle antérieure de
5 unités). Selon Granger, le corpus d'étude se doit d'être
le plus vaste possible : exemples (mais non définitions)
des dictionnaires, « complétés et contrôlés par le dépouille-
ment de textes étendus, où les sens et les significations
demeurent vivants » (1968, p. 173). Toutefois, afin de
rester dans des limites raisonnables d'analyse, nous nous
contenterons de ne recourir ici qu'aux exemples d'un
dictionnaire, *Le Petit Robert.*

Dès le point de départ, l'application intégrale de la
technique d'analyse de Harris, c'est-à-dire l'analyse strictement formelle des énoncés fournis par le dictionnaire,
s'avère impraticable : il serait utopique, semble-t-il, de
vouloir établir l'inventaire, sous forme de listes de compa-
tibilités par exemple, de toutes les distributions des unités
retenues. C'est pourquoi nous nous tournons alors du
côté de la typologie des champs lexicaux de Coseriu, qui
repose en grande partie sur ce qu'il appelle les « types
formels d'opposition » ou les « oppositions formelles ». Là
encore, la typologie déçoit. En effet, nous n'arrivons pas à

comprendre en quoi des oppositions — ou des « petites classes fermées » pour reprendre l'expression de Hjelmslev (*c* 1957, 1971, p. 119) — du type *bas - haut, froid - frais - tiède - chaud*, et *début - milieu - fin*, pour ne prendre que ces quelques exemples, sont des types *formels* d'oppositions (privatives, graduelles, et équipollentes respectivement, suivant le modèle phonologique de Troubetzkoy). Selon nous, *bas - haut* est une opposition significative non formelle, fondée sur une affinité de signifiés, sinon il faudrait en conclure que *bas - long, bas - grand, bas - plein* sont des oppositions formelles au même titre que *bas - haut*. Pourtant, *bas - haut, court - long, vide - plein, étroit - large, petit - grand, candidus - albus, maîtriser - dominer* et *dissiper - gaspiller* ne peuvent être, quoi qu'en dise Coseriu, des oppositions formelles linguistiques (privatives antonymiques). On se serait attendu ici à un raffinement de la classification des oppositions de signifiés proposée en 1952 par J. Cantineau (dans « Les oppositions significatives ») mais Coseriu ne va pas au-delà des oppositions en rapport isolé, du type *coq- poule*, de ce dernier. Nous éprouvons ici la même crainte que Mounin vis-à-vis de la tentative de Cantineau, à savoir « qu'une terminologie structurale ne dissimule précisément une absence de relations structurées » (1963, p. 110). Une analyse conceptuelle non explicitée sous-tend l'analyse apparemment formelle de Coseriu. Celui-ci a certes vu la difficulté puisqu'il est question à un certain moment, à propos de ces exemples, de la « concentration bipolaire de la substance sémantique » et des « degrés signifiés de la substance sémantique en cause » (1975, p. 38). Pourtant, il continue de les appeler, soit des « oppositions formelles », soit des « types formels d'opposition ».

Nous renonçons donc à une étude strictement formelle de notre corpus, soit sous forme d'analyse distributionnelle (suivant la suggestion de Granger), soit sous forme d'oppositions formelles (suivant le modèle de Coseriu). Voici d'ailleurs la liste de tous les exemples recueillis dans *Le Petit Robert* pour les 20 unités choisies :

Abbaye	*Nil* (aucun exemple donné).
Auberge	Tenir auberge.
	L'enseigne d'une auberge.
	Garçon, fille, servante d'auberge.
	« Il dut s'accommoder d'une mauvaise chambre à l'auberge. »
	« Il en est de la lecture comme des auberges espagnoles : on n'y trouve que ce qu'on y apporte. »
Bastide	En Provence, petite maison de campagne.
Bastidon	« J'ai un bastidon dans la campagne environnante. »
Buron	*Nil.*
Cabane	Cabane de berger, de bûcheron, de pêcheur.
	Cabane en planches, en terre battue; cabane couverte de chaume.
Cahute	« Il se fit une cahute avec de la terre glaise et des troncs d'arbres. »
Caserne	Cour de caserne.
	Garnison établie dans une caserne.
	Les chambrées, la cantine, le foyer, la salle de police, le poste de garde d'une caserne.
	Caserne d'infanterie, de cavalerie.
Chartreuse	La Grande Chartreuse, dans les Alpes.
Cloître	Le cloître des chartreux.
	Le cloître roman de Saint-Trophime, à Arles.
Couvent	Couvent de carmélites, de chartreux, de dominicains.
	Règles d'un couvent.
	Supérieur, Mère supérieure d'un couvent.
	Cloître, chapelle, parloir d'un couvent.
Ermitage	Vivre dans un ermitage.
	« M. de Chateaubriand veut décidément se retirer du monde; il va vivre en solitaire dans un ermitage. »
Gourbi	*Nil.*
Hutte	Huttes des populations primitives.
	« Une hutte d'osier et de roseaux m'apparut. »
Igloo	*Nil.*
Laure	La laure de Kiev.
Manoir	« Le hobereau, au fond d'un manoir crasseux près de Morlaix. »
Monastère	Monastère du mont Athos.
	Eglise, cloître, salle capitulaire d'un monastère.
	Cartulaire d'un monastère.
	S'enfermer, se retirer dans un monastère.
Paillote	*Nil.*

Repaire   Un repaire de brigands.
« Un repaire, trop longtemps toléré, d'agitateurs dangereux. »

De l'examen de ces contextes il ressort qu'aucune corrélation ne peut être établie entre les énoncés et l'un des trois points de vue choisis initialement, le point de vue de la propriété. Par contre, plusieurs rapprochements peuvent être faits entre certains énoncés et les deux autres points de vue, celui de la localisation et celui de la fonction. Par fonction il faut entendre ici les personnes à qui l'habitation est destinée. Voici donc les contextes qui peuvent être regroupés, successivement, sous les points de vue de la fonction et de la localisation :

a. Point de vue de la fonction :
— « Il dut s'accommoder d'une mauvaise chambre à l'auberge » (auberge).
— Cabane de berger, de bûcheron, de pêcheur (cabane).
— Garnison établie dans une caserne (caserne).
— Caserne d'infanterie, de cavalerie (caserne).
— Le cloître des chartreux (cloître).
— Couvent de carmélites, de chartreux, de dominicains (couvent).
— Vivre dans un ermitage (ermitage).
— Huttes des populations primitives (hutte).
— « Le hobereau, au fond d'un manoir crasseux près de Morlaix » (manoir).
— S'enfermer, se retirer dans un monastère (monastère).
— Un repaire de brigands (repaire).
— « Un repaire, trop longtemps toléré, d'agitateurs dangereux » (repaire).

b. Point de vue de la localisation :
— En Provence, petite maison de campagne (bastide).
— « J'ai un bastidon dans la campagne environnante » (bastidon).
— La Grande Chartreuse, dans les Alpes (chartreuse).
— Le cloître roman de Saint-Trophime, à Arles (cloître).
— « M. de Chateaubriand veut décidément se retirer du monde; il va vivre en solitaire dans un ermitage » (ermitage).
— La laure de Kiev (laure).
— « Le hobereau, au fond d'un manoir crasseux près de Morlaix » (manoir).
— Monastère du mont Athos (monastère).

On se rend vite compte, cependant, qu'en dépit de ces rapprochements (même en l'absence d'une analyse distributionnelle des unités, à laquelle nous avons dû renoncer) plusieurs énoncés de notre corpus restent inutilisés. Ce sont les exemples suivants :

— Tenir auberge.
— L'enseigne d'une auberge.
— Garçon, fille, servante d'auberge.
— « Il en est de la lecture comme des auberges espagnoles : on n'y trouve que ce qu'on y apporte. »
— Cabane en planches, en terre battue; cabane couverte de chaume.
— « Il se fit une cahute avec de la terre glaise et des troncs d'arbres. »
— Cour de caserne.
— Les chambrées, la cantine, le foyer, la salle de police, le poste de garde d'une caserne.
— Règles d'un couvent.
— Supérieur, Mère supérieure d'un couvent.
— Cloître, chapelle, parloir d'un couvent.
— « Une hutte d'osier et de roseaux m'apparut. »
— Eglise, cloître, salle capitulaire d'un monastère.
— Cartulaire d'un monastère.

A y regarder d'un peu plus près, il existe pourtant des affinités évidentes, sur le plan du contenu, entre les énoncés de diverses unités, comme par exemple entre *Une hutte d'osier et de roseaux m'apparut* et *Cabane en planches, en terre battue, couverte de chaume.*

Grâce à des rapprochements de ce type, nous en sommes ainsi venu peu à peu à cette idée qu'il y aurait intérêt à dégager les points de vue de l'usage linguistique non pas initialement, comme le suggère Granger, mais bien à partir d'une observation des contextes linguistiques (en l'occurrence, les exemples du dictionnaire). Cela éviterait en tout cas de laisser inutilisés certains points de vue (celui de la propriété, par exemple), tout en permettant surtout de dégager tous les points de vue véritablement pertinents. C'est ainsi que, par la confrontation des exemples du *Petit Robert,* nous en sommes arrivé à découvrir, pour les 20 unités choisies, les 6 points de vue suivants :

l'occupation — terme qui remplacera dorénavant le mot fonction — (c'est-à-dire à qui est destinée l'habitation), la matière, les parties de l'habitation, le personnel (c'est-à-dire les gens en charge de l'habitation), l'administration, et la localisation. Tous ces points de vue ont été établis par confrontation des contextes suivants :

1. Occupation	« Il dut s'accommoder d'une mauvaise chambre à l'auberge » (auberge).
	Cabane de berger, de bûcheron, de pêcheur (cabane).
	Garnison établie dans une caserne (caserne).
	Caserne d'infanterie, de cavalerie (caserne).
	Le cloître des chartreux (cloître).
	Couvent de carmélites, de chartreux, de dominicains (couvent).
	Vivre dans un ermitage (ermitage).
	Huttes des populations primitives (hutte).
	« Le hobereau, au fond d'un manoir crasseux près de Morlaix » (manoir).
	S'enfermer, se retirer dans un monastère (monastère).
	Un repaire de brigands (repaire).
	« Un repaire, trop longtemps toléré, d'agitateurs dangereux » (repaire).
2. Matière	Cabane en planches, en terre battue; cabane couverte de chaume (cabane).
	« Il se fit une cahute avec de la terre glaise et des troncs d'arbres » (cahute).
	« Une hutte d'osier et de roseaux m'apparut » (hutte).
3. Parties de l'habitation	« Il dut s'accommoder d'une mauvaise chambre à l'auberge » (auberge).
	Cour de caserne (caserne).
	Les chambrées, la cantine, le foyer, la salle de police, le poste de garde d'une caserne (caserne).
	Cloître, chapelle, parloir d'un couvent (couvent).
	Eglise, cloître, salle capitulaire d'un monastère (monastère).
4. Personnel	Garçon, fille, servante d'auberge (auberge).
	Supérieur, Mère supérieure d'un couvent (couvent).

5. Administration Tenir auberge (auberge).
                   Règles d'un couvent (couvent).
                   Cartulaire d'un monastère (monastère).
6. Localisation   En Provence, petite maison de campagne (bas-
                   tide).
                   « J'ai un bastidon dans la campagne environ-
                   nante » (bastidon).
                   La Grande Chartreuse, dans les Alpes (char-
                   treuse).
                   Le cloître roman de Saint-Trophime, à Arles
                   (cloître).
                   « M. de Chateaubriand veut décidément se
                   retirer du monde; il va vivre en solitaire
                   dans un ermitage » (ermitage).
                   La laure de Kiev (laure).
                   « Le hobereau, au fond d'un manoir crasseux
                   près de Morlaix » (manoir).
                   Monastère du mont Athos (monastère).

Dans la mesure où les exemples du dictionnaire sont
le reflet assez fidèle des usages linguistiques, on peut dire
que les points de vue dégagés représentent bien, comme le
souhaite Granger, les points de vue généralement utilisés
par les usagers de la langue.

Les points de vue ayant été ainsi dégagés, il ne reste
plus qu'à procéder à l'organisation des unités suivant ces
axes sémantiques. Nous aboutissons ainsi aux organisations
simultanées suivantes :

1. Point de vue de l'occupation : *auberge, cabane, caserne,
cloître, couvent, ermitage, hutte, manoir, monastère* et *repaire*;
2. Point de vue de la matière : *cabane, cahute* et *hutte*;
3. Point de vue des parties de l'habitation : *auberge,
caserne, couvent* et *monastère*;
4. Point de vue du personnel : *auberge* et *couvent*;
5. Point de vue administratif : *auberge, couvent* et *monastère*;
6. Point de vue de la localisation : *bastide, bastidon, chartreuse, cloître, ermitage, laure, manoir* et *monastère*.

Ces résultats peuvent également être représentés sous
la forme d'un tableau à double entrée (voir tableau).

	Points de vue					
Mots	Occupa-tion	Matière	Par-ties	Per-sonnel	Admi-nistra-tion	Loca-lisa-tion
Auberge	+		+	+	+	
Bastide						+
Bastidon						+
Cabane	+	+				
Cahute		+				
Caserne	+		+			
Chartreuse						+
Cloître	+					+
Couvent	+		+	+	+	
Ermitage	+					+
Hutte	+	+				
Laure						+
Manoir	+					+
Monastère	+		+		+	+
Repaire	+					

Cinq des 20 unités choisies ne figurent pas dans ces listes. Ce sont : *abbaye, buron, gourbi, igloo,* et *paillote*. La raison en est simple : comme nous nous en sommes tenu strictement aux exemples du *Petit Robert* et qu'aucun exemple n'apparaît sous ces entrées, nous avons dû les exclure de notre analyse. Il va de soi qu'un recours à plusieurs dictionnaires ainsi qu'à de nombreuses autres sources variées permettrait de tenir compte de ces mots. On imagine assez facilement qu'apparaîtraient des contextes susceptibles, par exemple, d'intégrer *igloo* et *paillote* sous le point de vue de la matière (*avec blocs de glace* et *en paille*, respectivement). Quoi qu'il en soit, cette manière de procéder nous permet d'en arriver à établir l'esquisse d'une pluralité d'organisations des mêmes unités lexicales, conformément à l'hypothèse de Granger. Non pas de manière tout à fait conceptuelle, comme nous l'avons fait précédemment, mais en nous appuyant aussi sur des énoncés linguistiques. C'est ainsi, par exemple, que *auberge* appartient à la fois aux domaines de l'occupation, des parties, du personnel, et de l'administration; *bastide* et *bastidon*, à la localisation seulement; *cabane*, à l'occupation et à la matière, et ainsi de suite pour chacune des unités. En outre, certaines unités sont susceptibles d'être regroupées sous plusieurs rubriques alors que d'autres ne paraissent être habituellement envisagées, dans leur usage, que sous un ou deux points de vue seulement, du moins d'après notre corpus actuel. Ainsi, dans le cas de *cabane*, les exemples du *Petit Robert* laissent entendre que cette unité n'est généralement considérée que des points de vue de l'occupation et de la matière de la construction. A la limite, les énoncés relevés devraient être soumis à des vérifications statistiques de manière à déceler véritablement les points de vue dominants de l'usage linguistique. Seulement deux exemples du dictionnaire *(enseigne d'une auberge* et « *Il en est de la lecture comme des auberges espagnoles : on n'y trouve que ce qu'on y apporte* ») n'ont cependant pu être utilisés dans l'établissement des points de vue.

Ce type d'analyse implique, en outre, que ce qu'il importe d'étudier avant tout ce n'est pas l'organisation en tant que telle d'un champ sémantique mais bien, comme l'a déjà signalé pertinemment Mounin dans son étude sur « La structuration sémantique des dénominations des divisions du temps » (1975, chap. IX), « les sous-systèmes ou microsystèmes dont il est composé » (p. 155). Concrètement, cela signifie qu'il faudrait examiner les « petits groupes » — pour reprendre l'expression chère à A. Meillet (*c* 1921, 1948, t. I, p. 84) — constitués par des unités comme *cabane, cahute* et *hutte* (point de vue de la matière), comme *auberge, caserne, couvent* et *monastère* (point de vue des parties de l'habitation), comme *bastide, bastidon, chartreuse, cloître, laure, manoir* et *monastère*, et ainsi de suite pour chaque ensemble d'unités regroupées sous un même point de vue. Cette perspective permet du même coup de mieux faire voir l'importance fondamentale de l'étape antérieure de la délimitation des termes devant figurer dans un champ. En ce sens, le caractère à la fois spéculatif et prématuré d'une typologie des champs comme celle de Coseriu saute aux yeux non seulement, comme l'a bien vu son auteur, parce qu'une « typologie solidement fondée supposerait la comparaison de beaucoup de champs déjà décrits » (1975, p. 32), mais d'abord et avant tout parce qu'elle supposerait une connaissance premièrement de l'organisation de chacun des micro-systèmes et deuxièmement des rapports entre chacun de ces groupes. Ce n'est que dans un troisième temps que l'on pourrait véritablement tirer profit d'une typologie des champs fondée alors non sur l'intuition mais sur des organisations bien attestées. Dans cette perspective, le champ sémantique de la couleur, tel qu'il a été étudié jusqu'ici par nombre de linguistes et d'anthropologues, pourrait bien n'être en fait que le reflet d'une organisation courante : les termes de la couleur du point de vue de leur réalité physique. Par contre, d'un autre point de vue, celui de la couleur des yeux par exemple, le regroupement des couleurs s'avère être passablement différent : *noirs, bruns, bleus (pers), verts, gris* et *ardoise*. Du point de vue de la couleur des cheveux, le regroupement serait encore différent : il ne comprendrait vraisemblablement que des termes comme *noirs, blancs, gris, bruns, blonds, châtains* et *roux*. Du point de vue de la couleur des vins, on ne compte en français que les termes *rouge, blanc* et *rosé* (mis à part les vins *gris* de la région de Nancy ou le vin *vert* du Portugal).

Pour en revenir à notre corpus de l'habitation, il est intéressant de remarquer que la plupart des acceptions auxquelles a été attribué dans le dictionnaire le signe conventionnel *Par ext.* (par extension) paraissent être en fait des sens nouveaux correspondant tout simplement à une « extension » de points de vue dominants. Il convient en outre d'attirer l'attention sur le fait que ce ne sont pas toutes les unités du champ (ou de l'échantillon sélectionné) qui sont regroupées simultanément sous chaque rubrique, comme le laisse entendre la formulation de Granger : « C'est de la même substance lexicale, sans doute à quelques vocables près, que l'on traitera dans tous les cas » (1968, p. 172). Par exemple, seules les unités *cabane*, *cahute* et *hutte* apparaissent du point de vue de la matière de la construction. Dans une analyse exclusivement conceptuelle, ne prenant pas appui sur les énoncés de la langue les résultats seraient très probablement différents (parce que pertinents sur le plan conceptuel mais pas nécessairement significatifs dans une perspective linguistique). En effet, toutes les unités du champ pourraient à la limite être classées, par exemple, sous : matériau de fortune, en brique, en pierre, en bois, en marbre, etc. Mais tout porte à croire que la matière n'est en fait significative linguistiquement que dans quelques cas : pour *auberge*, *caserne*, *ermitage*, etc., ce point de vue n'est tout simplement pas pris en considération. En ce sens, la formulation de Granger (« sans doute à quelques vocables près ») paraît peu conforme à nos données.

Ce qui frappe le plus dans le tableau obtenu, c'est sa grande économie : 15 unités regroupées sous 6 points de vue seulement. Ce fait mérite certes d'être signalé puisque dans une analyse faite à l'aide d'une procédure d'un autre type, l'analyse en traits de sens, le nombre élevé de traits pertinents par rapport au nombre d'unités est toujours vu comme un obstacle d'importance. De plus, sur 15 acceptions regroupées, 6 ne font partie que d'un seul point de vue puisqu'un seul exemple leur a été attribué dans *Le Petit Robert*; 6 font partie simultanément de deux organisations; aucune acception ne recoupe trois points de vue, et 3 *(auberge, couvent et monastère)* appartiennent à quatre points de vue. Sans doute faut-il attribuer à l'insuffisance du corpus le fait qu'un mot comme *chartreuse* ne soit pas regroupé, à l'égal de *monastère, cloître* et *couvent*, sous le point de vue de l'occupation. Afin de mieux mesurer la portée de cette importante question de l'économie de l'analyse, nous avons mené le même type d'analyse sur un nombre égal (15) de nouvelles unités, toujours choisies arbitrairement parmi les 146 mots de la liste de Mounin : *asile, case, demeure, édifice, harem, hôpital, hospice, hôtel, immeuble, loge, maison, prison, réduit, refuge* et *taudis*. L'examen des exemples fournis par le dictionnaire révèle que les 15 unités en question nécessitent l'établissement de seulement 3 nouvelles dimensions sémantiques : les points de vue de l'appréciation, de la dimension et de l'usage (pour location, par exemple). Nous comptons donc maintenant 9 points de vue pour 30 unités. Comme les 15 nouvelles unités viennent grossir par le fait même le nombre de mots faisant déjà partie des 6 points de vue antérieurs, il en résulte toujours un niveau d'économie relativement élevé.

En dépit de son caractère schématique et provisoire, cette exploration partielle du champ sémantique de l'habitation à l'aide de la procédure d'analyse prônée par Granger (mais modifiée) n'aura pas été vaine. Elle aura permis de faire voir, par exemple, l'inapplicabilité intégrale de la technique d'analyse distributionnelle de Harris. Du même coup, elle aura mis en lumière la possibilité de dégager les différents points de vue non pas initialement et de manière plus ou moins arbitraire, mais bien à la suite d'un examen des contextes d'utilisation des unités. Il ne faudrait pas croire qu'il s'agit, pour autant, d'une procédure strictement et exclusivement linguistique. En effet, si le point de départ est formel — les énoncés de la langue — ce n'est que par un recours à des décisions d'ordre conceptuel que nous pouvons établir les points de vue. Nous croyons pourtant qu'une procédure conceptuelle fondée sur la réalité linguistique est encore préférable à une technique d'analyse purement conceptuelle. De plus, notre étude aura permis de faire voir dans quelle mesure, suivant la suggestion de Granger, les exemples des dictionnaires, à la condition d'être complétés par d'autres échantillons de la langue, pourraient constituer une abondante source de documentation, à laquelle aucun séman-

ticien jusqu'ici ne semble avoir songé. Enfin, notre investigation aura abouti, par-dessus tout, à montrer sur des
exemples concrets l'existence d'une organisation pluridimensionnelle possible du lexique d'une langue. Bien sûr,
il ne s'agit ici que de substantifs et, si l'on en croit J. et
C. Dubois (1971, pp. 88-89), dans les exemples des dictionnaires ce sont les « contextes culturels » qui dominent pour
les noms alors que dans le cas des verbes, des adjectifs et
des adverbes ce sont les « contextes linguistiques » qui
dominent. Quoi qu'il en soit, à la lumière de ce qui
précède, il semble en définitive que l'hypothèse de Granger
ouvre une voie d'apparence prometteuse, qui mériterait,
à coup sûr, d'être explorée à fond.

CHAPITRE V

Les traits de sens

Les champs sémantiques, avons-nous déjà fait remarquer, sont une hypothèse sur le mode d'organisation du lexique d'une langue. Jusqu'ici, nous n'avons cependant fait état que des recherches portant sur le mot considéré comme un tout indécomposable. Il existe pourtant bon nombre de chercheurs qui croient que les relations entre les mots d'une langue donnée doivent se faire à partir d'unités plus petites que le mot. Comme il s'agit des composants ou composantes du mot, ce type d'analyse est souvent désigné du nom d'analyse « componentielle ». Ces composantes du mot comptent presque autant d'appellations diverses que d'auteurs : sème, sémème, sémième, traits distinctifs, figures de contenu, traits pertinents du signifié, etc. Le plus courant de ces termes, *sème*, présente le sérieux inconvénient de désigner à la fois une unité très petite (en sémantique) et une unité très grande équivalente de l'énoncé (en sémiologie). Nous employerons ici l'expression la plus neutre possible, à savoir : *trait de sens* (ou *trait sémantique*). C'est par la médiation de traits de sens que les unités seraient apparentées. Il y a donc là une nouvelle hypothèse quant à la structuration lexicale, dont les implications méritent d'être examinées avec attention. Tel est précisément l'objet de ce chapitre-ci.

I. CHAMPS SÉMANTIQUES ET TRAITS DE SENS

L'hypothèse des champs sémantiques, comme on l'a vu dans les chapitres antérieurs, trouve un appui dans un certain nombre d'observations qui remontent au moins jusqu'à Saussure. Selon lui, si un mot comme *redouter* n'existait pas, son contenu serait réparti parmi les unités « qui expriment des idées voisines », à savoir des synonymes comme *craindre* et *avoir peur*. Ou encore, ajoute-t-il, si en français les formes *marche!* et *marchez!* venaient un jour à disparaître, la valeur de *marchons!* serait modifiée de manière à englober, en quelque sorte, le contenu des deux signifiants disparus. Si pareils phénomènes pouvaient être observés directement, nous aurions la preuve qu'il existe effectivement des champs dans une langue. Toutefois, la réalité n'est pas aussi simple. Comment en effet pourrions-nous observer le déplacement d'un contenu si nous ne possédons, dès le départ, aucune technique objective d'investigation ou d'appréhension du contenu ?

Par contre, en dépit de cette lacune, il paraît difficile de croire en une absence totale d'organisation du lexique. Ce n'est qu'en vertu du simple bon sens, qui nous dit que les mots ne sont très probablement pas isolés dans notre tête, que le lexique n'est pas considéré comme formant un chaos : dans la plupart des cas observés jusqu'ici, les gens en arrivent, tant bien que mal, à se comprendre. En d'autres termes, que les sémanticiens le reconnaissent explicitement ou non, c'est toujours le postulat fondamental de L. Bloomfield qui est présupposé : *Dans certaines communautés (communautés linguistiques) certains énoncés sont semblables par la forme et par la signification* (c 1933, 1970, p. 137). Le caractère séduisant de l'hypothèse des champs sémantiques ne doit cependant pas en faire oublier les limitations : seuls quelques domaines privilégiés ont pu être ainsi établis. Pour le reste, c'est-à-dire pour la plus grande partie du lexique, la réduction en champs paraît plus difficile, voire même impossible. On comprend donc que certains, forts du succès du structuralisme dans les autres domaines de la langue, en phonologie en particulier, aient tenté de dépasser, pour ainsi dire, les champs sémantiques tels que conçus par Trier par exemple, en tentant d'appliquer au lexique les méthodes proprement structurales.

A) *L'hypothèse des champs sémantiques :*
présupposé de l'analyse en traits de sens

Toutefois, ce faisant, ils n'ont pas du même coup renoncé à l'idée d'une structuration en champs. En effet, même si bon nombre de sémanticiens préoccupés par une structuration en traits de sens feignent d'ignorer la question des champs sémantiques, il n'en demeure pas moins que l'analyse en traits, telle que conçue à l'heure actuelle, présuppose l'hypothèse des champs sémantiques : le trait commun entre plusieurs unités, appelé « *signification de base* du paradigme» par Lounsbury (*c* 1964, 1966, p. 75), désigne en définitive le champ auquel appartiennent toutes les unités analysées en traits. En ce sens, on ne saurait en théorie dissocier totalement l'étude des traits de sens des études portant sur les champs sémantiques. Il reste que dans la pratique, comme l'objet d'étude n'est pas le même strictement parlant — le mot perçu comme un tout dans un cas, et les composantes du mot dans l'autre —, il est plus commode de dissocier les deux types de recherche. Nous voulons cependant insister ici sur le fait que pareille dissociation méthodologique ne doit pas faire perdre de vue la continuité du phénomène : l'analyse en traits de sens d'unités comme *chaise, fauteuil, banc,* etc., présuppose résolues d'abord la question de l'identification du champ (en l'occurrence les sièges) et ensuite celle de la délimitation des unités devant faire partie de ce champ. Or, comme on l'a vu tout au long du troisième chapitre, ces problèmes sont encore loin d'être résolus. En ce sens, il va de soi que les entreprises que nous allons maintenant examiner ont un caractère à la fois arbitraire et provisoire.

B) *L'acquisition du langage et les traits de sens*

Pourtant, l'hypothèse d'une structuration du lexique au moyen de traits sémantiques paraît être relativement bien fondée. C'est que l'on possède au moins une preuve de l'existence de ces traits : l'enfant qui apprend sa langue première. S'il a appris à différencier par la grosseur un autobus d'une automobile, par exemple, il est probable que l'enfant appellera *autobus* un camion la première fois qu'il en désignera un, jusqu'à ce qu'il perçoive ou qu'on lui fasse voir qu'un camion se différencie d'un autobus par le fait que l'un sert au transport des personnes alors que l'autre est destiné au transport des marchandises, et ainsi de suite avec les autres moyens de transport. Ce n'est que dans la mesure où l'enfant en arrive à connaître les traits sémantiquement pertinents des mots qu'il peut éviter les confusions de désignation. En d'autres termes, l'enfant tend dès le début à généraliser l'emploi de la plupart des mots au-delà de leur classe habituelle de référents. Puis, graduellement, à mesure que son vocabulaire augmente, il tend à restreindre l'extension des mots déjà appris, en leur ajoutant de nouveaux traits de sens. Par exemple, c'est vraisemblablement en ajoutant au mot *chien* des nouveaux traits comme « aboie », « de taille moyenne », etc., que ne sont plus désignés comme des chiens les vaches, les chevaux, les girafes, etc. (Clark, Eve V., 1973, pp. 77-88). L'acquisition du langage par l'enfant fournit la preuve qu'il existe des traits pertinents de sens. Quant aux dictionnaires de synonymes, ils n'en sont que la preuve indirecte puisqu'il ne s'agit que d'une codification d'un usage et par conséquent d'une manifestation seconde d'un fait linguistique. Cela n'implique pas pour autant que tout le lexique soit structuré sous la forme de traits de sens. Pour Coseriu par exemple — mais cela reste à vérifier dans les faits — le lexique d'une langue comprend de larges zones non systématisées : les nomenclatures (tout le vocabulaire dit technique) et les terminologies (1967, p. 18).

C) *Les débuts de l'analyse en traits de sens*

Assez curieusement, ce n'est pas de l'observation de la manière dont un enfant acquiert sa langue première qu'est née l'idée d'une structuration lexicale sous forme de traits. Le premier à émettre cette hypothèse en Europe serait, à ce qu'il semble[1], Hjelmslev. Celui-ci, dès 1943, dans ses *Prolégomènes à une théorie du langage*, pose en effet comme une exigence méthodologique découlant de ses axiomes la reconnaissance de l'existence de figures du contenu sur le plan de la signification, parallèlement aux figures de l'expression sur le plan phonique : « Exactement comme sur le plan de l'expression, écrit-il, l'existence des figures n'y sera [sur le plan du contenu] qu'une consé-quence logique de l'existence des signes » (*c* 1943, 1968, p. 94). Suit alors l'idée, illustrée dans la version originale danoise de quelques exemples empruntés surtout au domaine des significations marquées par des différences morphologiques, de recourir pour l'analyse sémantique au procédé de la commutation qui a cours en phonologie. L'extension de ce type d'analyse n'allait cependant pas tarder. Dès le début des années 50 paraissent coup sur coup trois tentatives d'application des procédures phono-logiques au domaine des unités significatives : celle de Cantineau, en 1952, dans son article sur « Les oppositions

---

1. D'après B. Malmberg, le Suédois A. Noreen prônait intuitivement dès 1903 un type semblable d'analyse; en ce sens, il serait un précurseur, en sémantique, de Hjelmslev (1966, pp. 184-185). Comme les travaux de Noreen sont malheureusement restés peu connus hors de la Suède et que la glossématique de Hjelmslev a par contre eu un impact beaucoup plus grand, nous continuons d'attribuer à ce dernier la paternité de l'analyse de la forme du contenu en figures du contenu.

significatives », celle de M. Sánchez Ruipérez, en 1954, dans son livre *Estructura del sistema de aspectos y tiempos del verbo griego antiguo. Análisis functional sincrónico*, et celle de Prieto, la même année, dans « Signe articulé et signe proportionnel » (article reproduit dans 1975 *b*).

En Amérique, apparaît à la même époque un souci semblable, non en vertu d'exigences théoriques mais pour des raisons d'ordre pragmatique. En 1956 paraissent dans le même numéro de la revue *Language* (vol. 32, n° 1) deux articles successifs traitant de la possibilité de recourir pour le domaine sémantique aux techniques d'analyse utilisées jusque-là avec un certain succès dans la linguistique américaine. Le premier, écrit par Lounsbury, vise à une meilleure description du système de la parenté chez les Pawnee (A Semantic Analysis of the Pawnee Kinship Usage); le second, signé W. H. Goodenough, tente également d'améliorer la description du système de la parenté, en langue Truk cependant (Componential Analysis and the Study of Meaning). C'est ainsi que depuis bientôt une trentaine d'années, tant pour des raisons pratiques que théoriques, nombre de sémanticiens (et d'anthropologues-linguistes) tentent de structurer le lexique d'une langue au moyen de traits du type suivant :

Jument = « cheval » + « femelle ».
Cheval = « cheval » + « mâle ».
Verrat = « porc » + « mâle ».
Truie = « porc » + « femelle ».

Ou encore (pour l'allemand) :
Können = « possibilité » + « matérielle ».
Dürfen = « possibilité » + « morale ».

Ou encore (par rapport à *ego*) :
Père = « génération — 1 » + « sexe masc. » + « lignée directe ».
Sœur = « génération — 0 » + « sexe fém. » + « lignée collatérale de 1er degré ».

Tous ces exemples, tirés respectivement des textes de Hjelmslev, de Prieto ou de Lounsbury, sont destinés non

seulement à illustrer l'analyse en traits de sens mais
surtout à mieux faire voir la parenté de l'analyse en
champs sémantiques et de l'analyse en traits : celle-ci
présuppose en grande partie celle-là.

2. POINTS DE VUE ET TRAITS DE SENS

A) *A la recherche de quelques affinités*

On ne saurait donc se surprendre de trouver un certain
nombre de corrélations entre les résultats des études en
champs sémantiques et en traits de sens. Bien sûr l'on
pourrait intégrer, à proprement parler, les deux approches.
C'est d'ailleurs ce qui constitue la sémantique structurale
de Coseriu : les idées principales de la théorie des champs
lexicaux de Trier et Weisgerber combinées au principe
des oppositions fonctionnelles et à l'analyse en traits distinctifs (Coseriu et Geckeler, 1974, p. 149). Toutefois, ce
n'est pas à ce type de rapprochement que nous songeons
ici. Nous voudrions plutôt nous en tenir à une recherche
d'affinités possibles entre des résultats obtenus à l'aide de
deux techniques distinctes : l'analyse en traits de sens et la
constitution de champs sémantiques. Il y aurait même
lieu, à ce qu'il semble, de s'étonner d'une absence de
convergence des résultats : « Il est également souhaitable,
note Apresjan, que la théorie structurale des champs
sémantiques garantisse dans une certaine mesure l'analyse
componentielle des significations, c'est-à-dire la décomposition des significations en traits distinctifs sémantiques »
(*c* 1962, 1966, pp. 47-48). C'est pourquoi il nous a semblé
utile de nous livrer ici à l'examen, rarement tenté (Apresjan
est l'un des seuls à l'avoir fait), d'une comparaison entre
les deux types de résultats.

L'idée de pareille démarche nous a en fait été suggérée
par ce passage de *Pour une philosophie du style* de Granger :
« Une fois déterminées les différentes visées qui paraissent

dominer l'usage d'un champ lexical, l'organisation selon
chacune d'elles doit s'effectuer exclusivement par analyse
distributionnelle (et accessoirement — et concurrem-
ment — par l'analyse conceptuelle des traits de sens,
analyse qui ne devrait être qu'un raccourci, toujours
sujet à confirmation par l'autre méthode, dont elle anticipe
les résultats) » (1968, p. 173). Dans ce texte, Granger ne
nie donc pas la possibilité d'une analyse en traits ; il affirme
la priorité de l'analyse en champs fondée sur la notion
de points de vue. Afin de voir ce qu'il en est plus concrètement, nous avons choisi de comparer les résultats obtenus
lors de notre analyse, esquissée au chapitre précédent,
d'un échantillon (15 termes) du champ sémantique de
l'habitation avec les résultats obtenus par une analyse en
traits de sens des mêmes unités.

Lors du IIᵉ Colloque de Linguistique fonctionnelle
tenu en juillet 1975 à l'Université de Clermont-Ferrand,
nous avons eu l'occasion de présenter, en collaboration
avec notre collègue Charron, une communication intitulée :
« Vers une sémantique structurale » (parue dans les *Actes*,
pp. 153-163). Nous tentions alors de vérifier, à la suite
d'une remarque de Mounin (1972 *a*, p. 112), dans quelle
mesure les définitions *remaniées* des dictionnaires pouvaient
constituer un matériel susceptible de fournir des indices
sur la structuration d'un lexique. Notre tentative portait
sur une douzaine de termes appartenant au champ
sémantique des sièges, une dizaine relevant du champ
sémantique des meubles, et une vingtaine tirés du vocabulaire de l'habitation. Seule cette dernière analyse, dont
les résultats ont été regroupés dans un tableau sous forme
de classification arborescente, retiendra notre attention
(Charron et Germain, 1975, p. 163). Nous nous permettons, pour fins de discussion, de reproduire ici ce tableau
(voir tableau). Les mots *manoir* et *repaire* n'y figurent pas,
mais il renferme un certain nombre d'unités dont nous
n'avons pas tenu compte lors de notre analyse en points
de vue effectuée au chapitre précédent. Ce sont : *bergerie*,

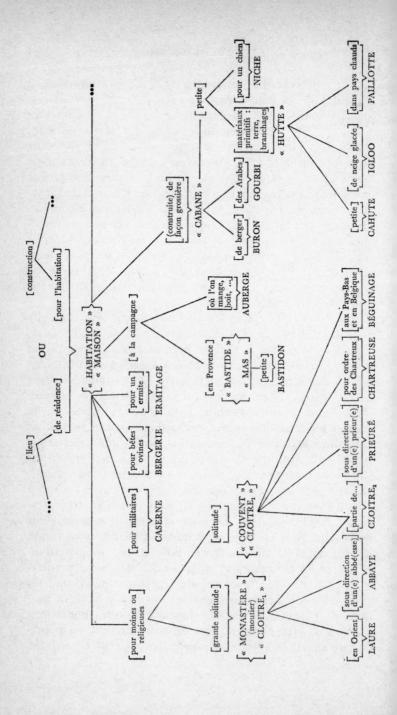

niche, prieuré et *béguinage,* qui n'apparaissent pas dans la liste de Mounin : les deux premières parce qu'il s'agit d'unités relatives à l'habitation des animaux, et les deux dernières parce qu'elles n'apparaissent pas dans les dictionnaires utilisés comme corpus de départ. Il est à noter que, à l'inverse, les mots *abbaye, buron, gourbi, igloo* et *paillote* n'apparaissent pas dans notre analyse en points de vue puisque aucun exemple, on s'en souviendra, ne leur a été attribué dans *Le Petit Robert.* Au total, cela nous laisse donc avec les 13 termes suivants, susceptibles d'être comparés : *auberge, bastide, bastidon, cabane, cahute, caserne, chartreuse, cloître, couvent, ermitage, hutte, laure* et *monastère.*

Afin de faciliter la comparaison, nous reproduisons côte à côte, pour chaque terme, les résultats de l'analyse en points de vue (p.v.) et les résultats de l'analyse en traits de sens (t.s.), chacun des traits de sens ou des points de vue étant isolé au moyen de traits obliques :

Auberge	p.v. /occupation/, /partie/, /personnel/, /administration/
	t.s. /habitation/, /à la campagne/, /où l'on mange, boit, etc./
Bastide	p.v. /localisation/
	t.s. /habitation/, /à la campagne/, /en Provence/
Bastidon	p.v. /localisation/
	t.s. /habitation/, /à la campagne/, /en Provence/, /petite/
Cabane	p.v. /occupation, /matière/
	t.s. /habitation/, /construite de façon grossière/
Cahute	p.v. /matière/
	t.s. /habitation/, /construite de façon grossière/, /petite/ /matériaux primitifs/, /petite/
Caserne	p.v. /occupation/, /parties/
	t.s. /habitation/, /pour militaires/
Chartreuse	p.v. /localisation/
	t.s. /habitation/, /pour moines.../, /solitude/, /pour ordre des chartreux/
Cloître	p.v. /occupation/, /localisation/
	t.s. /habitation/, /pour moines.../, /solitude/
Couvent	p.v. /occupation/, /parties/, /personnel/, /administration/
	t.s. /habitation/, /pour moines.../, /solitude/
Ermitage	p.v. /occupation/, /localisation/
	t.s. /habitation/, /pour un ermite/

Hutte	p.v. /occupation/, /matière/
	t.s. /habitation/, /construite de façon grossière/, /petite/, /matériaux primitifs/
Laure	p.v. /localisation/
	t.s. /habitation/, /pour moines.../, /grande solitude/, /en Orient/
Monastère	p.v. /occupation/, /parties/, /administration/, /localisation/
	t.s. /habitation/, /pour moines.../, /grande solitude/.

Avant de nous attarder à l'examen des affinités entre les deux types de résultats, une précision s'impose. Pour nous, tout trait, quel qu'il soit, implique un certain point de vue. Par exemple, un trait comme /à la campagne/ implique un point de vue, celui de la localisation. Pour une comparaison valide des deux approches il nous faudra donc, dans un premier temps, expliciter tous les points de vue impliqués dans chacun des traits fournis par l'analyse en traits de sens. Dans un second temps, il s'agira de comparer les points de vue ainsi dégagés (c'est-à-dire implicites dans l'analyse en traits) avec ceux obtenus au moyen de l'approche suggérée par Granger.

B) *Points de vue impliqués dans les traits de sens*

Voyons donc quels sont les points de vue impliqués dans les traits de sens. A gauche figurent les traits distinctifs et, à droite, les points de vue correspondants (nous faisons abstraction de la signification de base ou trait commun /habitation/) :

Traits	*Points de vue impliqués*
— /à la campagne/	— localisation
— /où l'on mange, boit, etc./	— occupation
— /en Provence/	— localisation
— /petite/	— dimension
— /construite de façon grossière/	— matière
— /matériaux primitifs/	— matière
— /pour militaires/	— occupation (à qui est destinée l'habitation)
— /pour moines.../	— occupation

Traits	Points de vue impliqués
— /(grande) solitude, lieu soli- taire/	— localisation
— /pour ordre des chartreux/	— occupation
— /pour un ermite/	— occupation
— /en Orient/	— localisation

Il s'agit maintenant de voir dans quelle mesure il y a coïncidence entre les points de vue ainsi dégagés et les autres. On se rappellera que dans l'analyse en points de vue les six points de vue obtenus étaient les suivants : occupation, matière, parties de l'habitation, personnel, administration et localisation. Dans l'analyse en traits, les points de vue impliqués sont : occupation, matière, localisation et dimension. Il y a donc trois points de vue qui ne se retrouvent pas dans l'analyse en traits; à l'inverse, un seul point de vue (dimension) n'apparaît pas dans l'autre approche. On ne peut donc nier l'existence d'une certaine affinité entre les points de vue dégagés au moyen de deux techniques différentes, en dépit d'une absence de coïncidence parfaite. Il serait intéressant, en tout cas, de poursuivre dans cette voie afin de voir ce qui se produirait dans le cas d'un corpus plus étendu. Il est à noter, par exemple, qu'au moment d'étendre notre analyse en points de vue à 15 nouvelles unités (voir chapitre antérieur), nous avions obtenu trois nouveaux points de vue (l'appréciation, la dimension et l'usage). Or, l'un de ces points de vue, la dimension, est précisément le point de vue impliqué dans le trait /petite/.

C) *La structuration hiérarchique des termes*

Afin d'explorer plus à fond cette voie, considérons maintenant les seules unités regroupées sous un même point de vue, la matière : *cabane, cahute* et *hutte*. Dans l'analyse en traits de sens, la *cahute* est considérée comme une espèce par rapport au genre *hutte* et cette dernière, comme une espèce par rapport au genre *cabane*. L'analyse en traits de sens met ainsi en évidence une hiérarchisation des termes qui paraît échapper à l'analyse en points de vue. Dès lors, comment tenir compte, dans l'analyse en points de vue, de la structuration hiérarchique des termes ? Afin de faciliter la comparaison des deux méthodes d'analyse, il paraît utile de réécrire les traits de sens sous la forme des points de vue impliqués, en nous inspirant des définitions mêmes des dictionnaires. Soit, par exemple, le mot *cabane*, ainsi défini dans *Le Petit Robert* : « Petite habitation grossièrement construite; abri sommaire. » Dans notre analyse en traits, nous avions retenu les deux seuls traits /habitation/ et /construite de façon grossière/. En réécrivant ces traits, combinés à la définition, sous la forme de points de vue qu'ils indiquent, nous obtenons la définition qui suit : *cabane* = habitation + point de vue de la dimension + point de vue de l'appréciation. En procédant de la même manière dans le cas de *cahute* et de *hutte*, nous arrivons alors aux définitions suivantes : *hutte* = cabane + point de vue de la matière; *cahute* = hutte + point de vue de la dimension. Ainsi, une cabane est une habitation considérée selon les points de vue combinés de la dimension et de l'appréciation; une hutte est une cabane considérée du point de vue de la matière, et une cahute est une hutte considérée du point de vue de la dimension. Il ressort donc de cette opération de transposition d'un mode d'analyse dans un autre qu'il est possible d'aboutir à une structuration lexicale hiérarchique à partir de la notion de points de vue. Autrement dit, afin de rendre comparables les résultats des deux types d'analyse, il y aurait intérêt, semble-t-il, à expliciter les points de vue impliqués dans les traits de sens. De cette manière, la proposition de Granger prend tout son sens : les résultats d'une analyse componentielle de type intuitif, présentés sous la forme de points de vue, ne font qu'anticiper les résultats à obtenir par analyse en points de vue fondée sur des contextes linguistiques.

Mais, convient-il maintenant de nous demander, en

va-t-il toujours bien ainsi ? Nous venons en effet de n'examiner que trois termes, en faisant abstraction de l'un des deux points de vue auxquels ils appartiennent, l'occupation. Qu'arrive-t-il dans le cas où l'analyse en points de vue permet de classer simultanément une même unité selon plusieurs dimensions ? Cette question mérite d'autant plus d'être soulevée que nous n'avons pu échapper jusqu'ici à l'impression que, même présentée sous la forme de points de vue, l'analyse en traits de sens permet difficilement de représenter, suivant la conception originale de Granger, une pluralité simultanée d'organisations sémantiques. En d'autres termes, pour que l'analyse en traits coïncide véritablement avec l'analyse en points de vue, ne faudrait-il pas que celle-là aboutisse, tout comme celle-ci, à une organisation pluridimensionnelle de la signification linguistique ? Afin de voir s'il peut en être ainsi, prenons cette fois les 8 termes suivants, déjà analysés en traits de sens (voir tableau reproduit ci-dessus) : *abbaye, béguinage, chartreuse, cloître, couvent, laure, monastère* et *prieuré*. En procédant comme nous l'avons fait ci-dessus à propos des mots *cabane, cahute* et *hutte*, c'est-à-dire en nous inspirant à la fois des définitions du dictionnaire et de notre analyse en traits de sens, et en dégageant les points de vue impliqués dans les traits, nous aboutissons aux résultats suivants :

Abbaye = un monastère + point de vue du personnel.
Béguinage = une habitation + point de vue de l'occupation et/ou de la localisation.
Chartreuse = un couvent + point de vue de l'occupation et/ou de la localisation.
Cloître = un monastère.
Couvent = une habitation + point de vue de l'occupation.
Laure = un monastère + point de vue de la localisation.
Monastère = une habitation + point de vue de l'occupation.
Prieuré = un couvent + point de vue du personnel.

A l'examen, il ressort clairement que, du moins dans le cas de *chartreuse, cloître, couvent, laure* et *monastère* — seuls termes déjà soumis, au chapitre précédent, à l'analyse en points de vue — il n'y a coïncidence des résultats des deux méthodes que pour les points de vue de l'occupation et de la localisation; les points de vue des parties de l'habitation, du personnel et de l'administration ne réapparaissent nullement dans l'analyse en traits.

Quoi qu'il en soit, il ressort en particulier de cette comparaison qu'il ne paraît pas utopique de concevoir l'analyse en traits de sens comme représentative d'une organisation pluridimensionnelle si l'on considère que l'ensemble des traits constitutifs d'une unité sont des indices quant à cette « organisation feuilletée et mobile » à laquelle Granger fait allusion (1968, p. 185). Par exemple, soit la définition suivante de *monastère* (d'après notre analyse en points de vue) : une habitation + point de vue de l'occupation + point de vue des parties + point de vue de l'administration + point de vue de la localisation. Pareille définition, qui devrait coïncider avec celle d'une analyse en traits de sens réécrite en points de vue, signifierait que le terme *monastère* appartient simultanément à autant d'organisations différentes qu'il contient de points de vue définitoires : par exemple, du point de vue de l'occupation ce mot figure, comme on l'a vu, aux côtés d'unités comme *repaire*, *manoir*, *hutte*, etc. (voir tableau). En d'autres termes, ainsi présentés, les résultats de l'un ou l'autre type d'analyse permettent de faire voir à la fois une pluralité d'organisation et une structuration hiérarchique. A ce sujet, il est à remarquer que si l'analyse en champs, par la procédure des points de vue, permet d'aboutir à une structure hiérarchique des unités, il n'est donc pas impensable, loin de là, que les traits eux-mêmes puissent être hiérarchisés (dans la mesure, bien entendu, où tout trait de sens implique un point de vue). Nous rejoignons ainsi, par ce biais, une hypothèse déjà émise (en 1965) par F. Kiefer : « Si l'on accepte de parler en termes de traits pour rendre compte des descriptions sémantiques, alors il n'est pas absurde d'émettre l'idée que certains de ces traits (mais non tous) sont organisés hiérarchiquement » (1974, pp. 8-9).

Enfin, fait à signaler, il n'est pas impossible que cette procédure permette de rendre compte, dans une certaine mesure, du succès ou de l'échec de la communication linguistique. Si, par exemple, il est permis dans certaines circonstances d'utiliser le terme générique de *monastère* au lieu du terme spécifique de *laure*, c'est peut-être parce qu'il est possible de faire abstraction d'un point de vue, en l'occurrence celui de la localisation. Autrement dit, si une laure est un monastère désigné et perçu du point de vue de sa localisation, le recours à l'un ou l'autre terme ne serait qu'une question de point de vue à omettre ou à spécifier. Du même coup, ce mécanisme permettrait peut-être d'expliquer la réussite de la communication entre deux personnes dont l'une ignore un mot que l'autre connaît : s'adapter à l'univers du discours de son interlocuteur, pour celui qui possède une plus grande richesse de vocabulaire, reviendrait à savoir faire abstraction des points de vue inconnus de l'autre, c'est-à-dire à négliger, par exemple, le point de vue de la localisation lorsqu'il est question d'une laure (chez celui qui connaît ce mot mais qui sait ou qui suppose que son interlocuteur l'ignore) pour s'en tenir au terme générique de *monastère*.

3. TRAITS DE SENS ET TRAITS NOÉTIQUES

De plus, en nous inspirant de l'analyse noologique de Prieto, il y aurait également moyen, à ce qu'il semble, d'établir un autre type de corrélations : entre traits de sens et traits noétiques. Comme le modèle de Prieto se situe avant tout au niveau de l'énoncé, cela revient à tenter une intégration des plans paradigmatique (analyse en traits de sens) et syntagmatique (analyse noologique). Pour cela il suffirait de partir des résultats fournis sur le plan noologique puisque ce type d'analyse implique un relevé de traits considérés dans leur aspect à la fois contrastif (ou plan syntagmatique) et oppositionnel (ou plan paradigmatique). Toutefois, dans tous les exemples fournis par Prieto, les aspects oppositionnels des unités, comme les noms et les verbes, ne sont jamais analysés en traits de sens. C'est pourtant avec ce type d'unités qu'il paraît possible de procéder à une analyse en traits de sens. Comme il serait trop long de reprendre ici une démonstration sur un exemple, nous nous permettons de renvoyer au texte de notre communication, présentée conjointement avec Charron en 1976 lors du IIIe Colloque international de Linguistique fonctionnelle, intitulée : *Analyse en traits de sens ou analyse noologique?* (à paraître). Pour notre propos actuel, qu'il nous suffise de reprendre la conclusion à laquelle nous étions arrivés : « A notre avis, il est donc possible d'intégrer les résultats de l'analyse en traits de sens aux résultats de l'analyse noologique. Cette intégration peut se faire si l'on considère les traits de sens d'une unité donnée comme constituant l'aspect oppositionnel des traits noétiques. De la sorte, les traits de sens deviennent éléments constitutifs des noèmes d'un énoncé, au même titre que les aspects contrastifs de ces noèmes. »

4. TRAITS GRADUABLES

Bien entendu, il ne s'agit toujours ici que d'hypothèses, fondées d'ailleurs elles-mêmes sur d'autres hypothèses tout aussi fragiles et provisoires. Il serait vain d'insister davantage sur le caractère arbitraire et schématique des analyses qui précèdent. On aura certes remarqué, entre autres choses, qu'il n'a été question que de traits de sens de caractère discret (un trait étant ou bien présent, ou bien absent). Si pareille démarche paraît fonctionner dans le cas d'un champ comme celui de l'habitation, cela ne signifie pas pour autant qu'il puisse en être ainsi pour tout le lexique de la langue. Par exemple, l'étude de Roggero portant sur 128 dénominations de nuances de la couleur rouge en langue anglaise, à partir du *Webster's Third New*

International Dictionary, a fait ressortir la nécessité de recourir également à des traits d'un caractère différent. L'auteur en est arrivé à faire appel à trois types de traits : « Les uns opposables, d'autres qui ne le sont pas, et des traits graduables » (1977, p. 158). L'introduction du degré dans l'analyse en traits paraît s'imposer dans le cas d'un continuum comme la couleur, ou encore la température, les sons, les émotions, les sentiments, etc. C'est ainsi que par le biais d'une pratique sémantique, Roggero rejoint en grande partie certaines observations dues à Coseriu dans sa tentative d'établissement d'une typologie des champs lexicaux, lorsqu'il y est question d'oppositions graduelles du type *petit/minuscule*, *grand/énorme*, etc. (1975, p. 34).

Quel que soit donc le caractère particulier de nos analyses, il reste que notre exploration n'aura pas été inutile car elle aura surtout permis de mettre en lumière les possibilités d'une convergence de résultats obtenus à l'aide de techniques d'analyse distinctes, convergence en général sous-estimée, pour ne pas dire ignorée, par la plupart des sémanticiens. Du même coup, l'hypothèse de Granger apparaît de nouveau comme une idée séduisante dont nous n'avons fait entrevoir que quelques implications pour la recherche sémantique. Si intéressante que paraisse cette hypothèse, on ne saurait cependant la considérer comme la seule et unique approche valable en sémantique. Vu l'état embryonnaire de la recherche dans ce domaine, toute tentative présentant quelque originalité mérite d'être prise en considération. C'est pourquoi nous nous attarderons maintenant aux vues de Martinet.

5. AXIOLOGIE ET TRAITS DE SENS

Contrairement à Granger qui ne s'est penché que récemment sur les questions de sémantique linguistique, Martinet s'est intéressé très tôt au problème de la signification. Sans nous livrer ici à une étude de la genèse de sa pensée, mentionnons toutefois que ses premières préoccupations sémantiques remontent au moins jusqu'en 1957[2]. Dès cette date, en effet, on peut trouver dans « Arbitraire linguistique et double articulation » et « Substance phonique et traits distinctifs » ce qui paraît bien être le point de départ de sa réflexion sémantique. A cette époque, comme Martinet cherche avant tout à mettre en valeur l'originalité de sa position vis-à-vis de la glossématique hjelmslévienne, il s'intéresse surtout au problème de l'isomorphisme des deux plans de l'expression et du contenu. Il remarque en particulier que, s'il existe une discipline « paralinguistique » traitant des sons, la phonétique (par opposition à la phonologie), il n'existe malheureusement aucune discipline « paralinguistique » équivalente traitant du sens, c'est-à-dire « d'une réalité psychique antérieure à toute intégration aux cadres linguistiques » ni même de discipline proprement linguistique ayant pour objet cette réalité psychique une fois structurée par les langues (1957 *b*, reproduit dans *La linguistique synchronique*, 1968, p. 24). C'est ce qui explique la présence de deux points d'interrogation dans le schéma de 1957.

A) *Sémantique et axiologie*

Sur la question qui nous occupe dans ce chapitre-ci, les traits de sens, Martinet fait alors preuve de très grande prudence : « Nous nous abstiendrons ici de toute tentative pour appliquer à la substance sémantique les conclusions auxquelles nous sommes arrivés quant au rôle que doit jouer la substance phonique dans l'analyse structurale. Le domaine des unités significatives, avec leur double face,

---

2. Il est intéressant de noter que c'est l'année où paraît *Syntactic Structures* de N. CHOMSKY. Dans cet ouvrage, qui prétendait faire échec à la linguistique bloomfieldienne qui avait paralysé pendant plus de vingt ans la recherche sémantique américaine, aucun statut proprement linguistique n'est attribué à la sémantique.

signifiante et signifiée, présente une complexité beaucoup plus grande que celui des unités distinctives, ce qui rend le plus souvent arbitraires les identifications qu'on est tenté de faire des catégories d'un domaine avec celles de l'autre. Il semble, dès aujourd'hui, établi que les deux substances organisées linguistiquement, la phonique et la sémantique, ne sont pas absolument isomorphes, et il serait hasardé d'opérer avec des traits pertinents de sens dont il reste à voir s'ils s'imposent ou non dans l'analyse du contenu linguistique » (1957 *a*, p. 85)[3]. Peut-être faut-il y voir un relent de ses doutes exprimés dès 1946 dans son compte rendu des *Prolégomènes* de Hjelmslev quant à la validité de la décomposition d'une unité comme *jument* en « figures de contenu » comme « cheval » + « femelle » : les « figures » obtenues, fait-il valoir, sont toujours des signes, ce qui va à l'encontre de l'isomorphisme prôné par le fondateur de la glossématique.

Une quinzaine d'années plus tard, soit en 1973, Martinet règle le problème terminologique : on aurait intérêt, écrit-il, à réserver désormais le terme déjà passablement galvaudé de « sémantique » pour tout ce qui a trait à l'étude du sens en tant que réalité non encore intégrée à la structure linguistique. Autrement dit, la sémantique ne devrait servir qu'à désigner ce que Saussure appelait la « masse amorphe et indistincte » de la pensée, ce que Hjelmslev entendait par le plan de la substance du contenu, et ce que Martinet lui-même se plaît à qualifier de l' « expérience à communiquer ». Ainsi conçue, la sémantique fait figure de discipline para ou extra-linguistique, à l'égal de la phonétique sur le plan sonore.

---

3. L'article « Substance phonique et traits distinctifs », écrit en 1957, a été reproduit en 1968 dans *La linguistique synchronique*. Toutefois, dans cette dernière version, ont été éliminées « quelques références aux unités significatives qui n'avaient pas un rapport direct avec le problème des traits distinctifs » (1968, p. 124, n. 1). Or l'un des passages supprimés, en l'occurrence le dernier paragraphe de l'article de 1957, se trouve précisément être celui qui montre ses doutes à propos de l'analyse en traits de sens, c'est-à-dire le texte cité ci-dessus.

Qu'advient-il alors de l'étude de la signification une fois structurée par une langue ? Comme il s'agit, précise Martinet, d'examiner des valeurs, il y aurait avantage à parler dans ce cas d'axiologie (du grec *axia* « valeur », *axios* « de valeur »). Conçue avant tout comme l'étude des valeurs significatives, soit en termes d'oppositions de signifiés, soit en termes de traits de sens, l'analyse axiologique désigne en quelque sorte le plan de la forme du contenu. C'est ce qu'illustre le schéma suivant (1975, p. 541) :

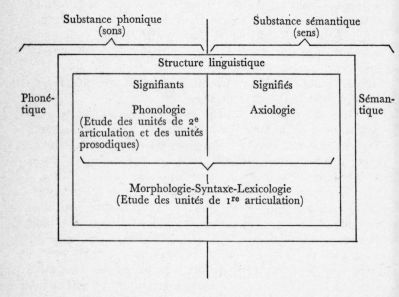

Comme nous l'écrivions ailleurs, « alors que le terme « signifié » dit la relation à l'intérieur d'un signe entre le versant sens et le versant phonie, le terme « valeur » souligne les relations d'oppositions entre les signifiés. Le choix même du terme axiologie pour désigner la nouvelle discipline indique que sa tâche est de retenir seulement ce qui est commun à tous les usagers d'une langue, et par le fait même de dégager les corrélations entre les unités du même système » (Charron et Germain, 1979, p. 270). Ainsi, comme l'a souligné récemment Mounin dans « Eléments d'une sémantique structurale et fonctionnelle : l'axiologie d'André Martinet », en privilégiant les concepts opératoires d'opposition et de valeur, Martinet se situe bien dans la tradition de Saussure mais du même coup il rend explicite un aspect de l'arbitraire du signe passé presque inaperçu jusqu'ici et pourtant fondamental pour une théorie de la signification linguistique. Saussure a bien fait voir, en effet, en quoi la relation entre un signifiant et un signifié est de nature arbitraire. Toutefois il a pratiquement passé sous silence l'arbitraire des signifiés par rapport à la réalité extra-linguistique. C'est cet aspect de l'arbitraire du signe contenu implicitement dans la formulation saussurienne que l'axiologie de Martinet met en valeur et dont nous avons déjà traité tout au long de notre deuxième chapitre.

Telle est la perspective d'ensemble dans laquelle se situe, pour Martinet, la question des traits pertinents de sens. Ses réticences à propos de ce type d'analyse sont les mêmes que celles formulées dès 1960 par Buyssens : puisque l'étendue lexicale des locuteurs varie en fonction de chaque individu, allant de 4 000 à 40 000 mots, on comprend qu'il soit difficile de déterminer la valeur d'un élément lexical, celle-ci dépendant de la présence des autres éléments (1960, p. 404). Devant pareille difficulté, la position récente de Martinet consiste à faire une distinction entre les signifiés des unités grammaticales et ceux des unités lexicales. Comme les monèmes grammaticaux constituent des petits groupes fermés, des listes closes, leur nombre n'est pas très considérable. Il devient dès lors relativement aisé de montrer qu'ils sont mutuellement exclusifs dans tous les contextes. En d'autres termes, la procédure d'analyse en traits pertinents de sens paraît linguistiquement fonctionnelle dans le cas des unités grammaticales : leur nombre réduit, en tout cas, permettrait de tester de façon adéquate une procédure d'analyse qui a déjà fait ses preuves dans le domaine de la phonologie. Les traits ainsi dégagés seraient sans aucun doute communs aux locuteurs d'une même langue. « L'étude des signifiés, insiste Martinet, a au moins autant d'importance en grammaire que dans le lexique » (1975 *a*, p. 540). Méthodologiquement, il y aurait donc intérêt à se livrer à l'étude axiologique des monèmes grammaticaux avant même de se lancer dans l'étude axiologique des monèmes lexicaux.

B) *L'analyse axiologique des monèmes grammaticaux*

Ainsi, pour Martinet l'analyse en traits pertinents de sens paraît pouvoir être menée à bien dans le cas des monèmes grammaticaux. De plus, puisque les oppositions ou les traits dégagés sont communs à tous, leur caractère proprement linguistique fait peu de doute. Sans vouloir atténuer la portée de pareil raisonnement, auquel nous adhérons entièrement, nous aimerions simplement attirer l'attention sur le fait que, même dans le cas des éléments grammaticaux, il peut arriver que le nombre d'unités soit relativement élevé. Par exemple, fait observer Perrot (1968), s'il est vrai que le nombre de cas est limité à cinq dans une langue flexionnelle comme le latin (le vocatif mis à part), il reste que dans certaines autres langues, comme le hongrois ou le finnois, il est sensiblement plus élevé (p. 286). En français, si on laisse de côté les systèmes partiels comme *sous - sur, avant - après - pendant*, etc., le système des prépositions est relativement lâche : même si son inventaire est assez limité, et s'apparente davantage au lexique qu'à la catégorie grammaticale du nombre *(ibid.)*. En d'autres termes, la notion de classe fermée ne paraît pas devoir s'appliquer avec la même rigueur à tous les monèmes grammaticaux. Inversement, même si le nombre d'unités lexicales proprement dites est beaucoup plus élevé que celui des unités phonologiques, il reste que, synchroniquement, ce nombre est *fini* (Granger, 1968, p. 170). Tout le problème consiste non pas à limiter l'illimité, mais bien à déterminer cette finitude, à préciser le contenu des « petits groupes » de Meillet, des « petites classes fermées » de Hjelmslev.

C) *L'analyse axiologique des monèmes lexicaux*

Mais, se demandera-t-on, qu'advient-il dans ce cas de l'analyse en traits de sens dans le cas des monèmes lexicaux ? Là-dessus la position de Martinet est nuancée : dans quelques cas, cela paraît possible, mais dans la très grande majorité des cas, cela paraît irréalisable. Autrement dit, certaines unités du lexique comporteraient plus d'un trait pertinent de sens, alors que d'autres — et ce serait le plus grand nombre — seraient irréductibles à l'analyse (elles ne comporteraient qu'un seul trait pertinent). « Il n'y a guère de chances, écrit Martinet, pour que tout l'effectif des monèmes d'une langue puisse être jamais réduit à un nombre fini de traits combinables » (1977 *d*, p. 907). Qu'est-ce à dire ? Comme nous avons déjà assez longuement traité ailleurs de cette question complexe, nous nous permettons, pour la suite de l'exposé, de reproduire les quelques paragraphes portant sur ce sujet, tirés de l'article que nous avons écrit en collaboration avec Charron, ayant pour titre : « La distinction entre sémantique et axiologie : quelques implications » (1979, pp. 261-270)[4].

« Si l'on observe, à la suite de Martinet, un monème comme *casquette*, aux côtés duquel figurent des termes tels que *chapeau*, *béret*, *képi* et *shako*, l'analyse en traits pertinents de sens paraît s'imposer. En effet, dans différents contextes et dans différentes situations, les rapports de *casquette* avec

---

4. Dans cet article, en plus de la question de l'absence d'un isomorphisme entre les plans phonologique et axiologique, nous examinons celle du parallélisme entre phonétique et sémantique, et celle des rapports entre axiologie et logique.

les unités avec lesquelles ce monème peut commuter sont toujours les mêmes : *casquette* présente, dans tous les cas, « tous les traits qui opposent la casquette au chapeau, au béret, au képi et au shako », c'est-à-dire qu'il s'agit bien « d'un couvre-chef à visière, de coiffe non quasi cylindrique ou conique » (Martinet, 1974, p. 44).

Mais en est-il toujours ainsi ? Dans le cas d'un monème comme *ortie* — autre exemple emprunté à Martinet — ne pourrait-on pas croire qu'il existe plus d'un trait pertinent de sens qui permet de distinguer l'ortie du cactus, par exemple ? Pour le botaniste, ces deux plantes appartiennent à des familles différentes : celle des urticacées et celle des cactacées. Or, dans une étude axiologique envisagée dans une perspective fonctionnelle, comme il s'agit d'expliquer le fonctionnement d'une langue du point de vue de l'usager ordinaire, il ne saurait être question de recourir au classement du botaniste, qui n'a de pertinence que du point de vue du spécialiste des plantes. Dès lors, comment en arriver à déterminer la valeur d'une unité comme *ortie* ? Devrait-on s'en tenir à une description du réel ? à un corpus ? à des enquêtes ? ou encore au sentiment linguistique du sujet parlant ?

I / *Description sémantique*. — Il semble que, dans le cas d'une unité comme *ortie*, le sémanticien puisse présenter à l'axiologue une description du type suivant : « 1. une herbe, 2. qui pique, 3. qui pique... comme l'ortie ». Mais d'où le sémanticien tire-t-il pareilles données ? Comme en ce domaine l'objectivité absolue est utopique, il paraît raisonnable de vouloir s'en remettre à l'objectivité relative, cette dernière étant synonyme, [comme on l'a vu], de confirmation statistique des résultats par les usagers de la langue... Dans le cas qui nous occupe, il s'agirait pour le sémanticien d'enquêter auprès d'informateurs choisis afin de leur faire dire ce qu'est, pour eux, une ortie, un cactus, etc. Le sémanticien devrait alors élaborer un test, qu'il soumettrait à d'autres usagers de la langue, en vue de vérifier la validité des traits ou caractéristiques provisoires dégagés à la suite de l'enquête. Puis, grâce à la confrontation des réponses obtenues tant au moment de l'enquête que du test, le sémanticien pourrait en arriver à dégager une sorte de « moyenne », susceptible de se présenter sous la forme des trois traits présentés plus haut. Comme il s'agit de distinctions faites en vue d'une utilisation axiologique, il paraît légitime d'utiliser l'expression, suggérée par Martinet, de « sémantique axiologique » pour désigner cette tâche particulière du sémanticien, sur le modèle de la « phonétique distinctive », orientée vers la phonologie.

II | *Analyse axiologique.* — Commence alors le travail de l'axiologue. Son rôle consiste à dégager, parmi les traits fournis par le sémanticien, ceux qui sont pertinents. Là encore, il doit recourir à la technique de la commutation, sur la base des traits pertinents. En effet, écrit Martinet, grâce à cette procédure, il paraît possible de déterminer, pour chaque cas donné, s'il s'agit d'un ou de deux monèmes distincts. Par exemple, les rapports qu'entretient le monème *ortie* avec les autres unités (comme *cactus*) avec lesquelles il peut commuter sont toujours les mêmes, quel que soit le contexte ou la situation. Mais, ce qu'il importe ici de noter, c'est que, pour chaque occurrence, il n'y a toujours qu'un seul trait qui permet de distinguer l'ortie du cactus, le trait « qui pique... comme l'ortie ». Dans le cas de *casquette*, comme on l'a vu, il y avait structuration au moyen de plus d'un trait pertinent de sens ; dans le cas d'*ortie*, comme on ne trouve qu'un seul trait pertinent, il ne peut que s'agir, « pour le commun des mortels, d'une unité significative inanalysable et primaire » (Martinet, 1977 *d*, p. 907). En d'autres termes, alors que *casquette* s'apparente à un phonème comme /p/ ou comme /b/, *ortie* suit plutôt le modèle de /l/ ou /r/.

III | *Absence d'isomorphisme dans la structuration en traits pertinents de sens.* — Mais, demandera-t-on, en quoi y a-t-il absence d'isomorphisme quant à la structuration en traits pertinents ? La différence de traitement des deux plans, phonologique et axiologique, réside principalement dans l'hypothèse que les unités significatives inanalysables et primaires seraient en plus grand nombre que les unités structurées au moyen de plus d'un trait pertinent de sens, contrairement à ce que l'on trouve en phonologie. Est-ce à dire que la structuration en traits pertinents de sens ne pourrait se trouver, comme on a coutume de le dire, que dans certains domaines privilégiés (les couleurs, la parenté, les grades militaires, etc.) ? Nous ne le croyons pas. *A priori*, en tout cas, rien ne s'oppose à ce qu'à l'intérieur d'un champ sémantique donné on trouve les deux types d'unités significatives : celles qui n'ont qu'un seul trait pertinent, et les autres. Par exemple, lors [de notre étude]... sur le champ sémantique des sièges, nous nous sommes rendu compte que pour des monèmes du type *chaise*, *fauteuil*, *banc* et *canapé*, par exemple, il y avait structuration au moyen de traits pertinents de sens. Par contre, dans le cas d'unités comme *chaise longue*, *chaise haute*, et *pouf*, on ne trouvait qu'un seul trait pertinent.

Ainsi, en axiologie, s'il s'avérait, en fin d'analyse, que les unités n'ayant qu'un seul trait pertinent sont en plus grand nombre que celles structurées au moyen de plus d'un trait pertinent, cela signifierait, à la limite, qu'il y aurait pratiquement autant de traits que de termes. En ce sens, l'économie sur ce plan serait moins grande qu'en phonologie. Quoi qu'il en soit, tout comme la présence d'un petit nombre d'unités inanalysables et hors corrélation n'empêche pas la phonologie d'exister, la présence d'un grand nombre d'unités inanalysables et primaires ne saurait empêcher l'axiologie d'exister » (Charron et Germain, 1979, pp. 265-268).

Il semble donc bien, à la suite de cet examen des vues de Martinet et de Granger, qu'il faille renoncer à considérer le lexique d'une langue comme quelque chose d'unitaire et de fixe. Là-dessus, ces deux auteurs rejoignent les vues de Coseriu : « Le lexique d'une langue n'est pas une classification unique et homogène (« taxinomie ») de la réalité : c'est un ensemble de classifications simultanées et différentes » (1975, p. 46). Tout porte à croire que les unités grammaticales, constituant des petits groupes fermés (ou quasi fermés), peuvent être apparentées aux unités phonologiques et sont par conséquent susceptibles d'être analysées en traits de sens : « Par conséquent on a affaire à des unités peu nombreuses dont il est toujours possible de prouver qu'elles sont mutuellement exclusives dans tous les contextes (par exemple, certaines modalités nominales, les prépositions, les coordonants) » (Mounin, 1979, p. 236). Ce qu'il y a de particulièrement intéressant dans cette façon de traiter la signification des unités grammaticales, c'est que les traits de sens dégagés sont à la fois proprement linguistiques et obtenus objectivement par commutation : par exemple, traits « défini », « indéfini », 1re personne, 2e personne, etc., « possession » (impliquant « défini »), « démonstration », etc. (Martinet, 1977 c, pp. 4-5).

Quant aux autres unités du lexique, les monèmes lexicaux, elles paraissent appartenir à deux types d'organisations distinctes. D'une part, il y aurait les unités proprement lexicales (monèmes non grammaticaux) formant des petits groupes et pouvant ainsi constituer de véritables paradigmes dont l'étude pourrait prendre modèle sur l'analyse phonologique (et sur l'analyse des monèmes grammaticaux). Toutes les unités de ce type présentent cette particularité de reposer sur des oppositions ou sur des traits communs à tous les locuteurs. D'autre part, il y aurait tous les autres monèmes lexicaux non réductibles en tant que tel en paradigmes ou en listes fermées. Ce serait précisément à ce type d'unités, d'organisation ouverte (mais finie synchroniquement), non figée, qu'il faudrait appliquer en particulier la suggestion de Granger : déceler la présence d'une multiplicité d'organisations simultanées selon différents points de vue. Les hypothèses du philosophe Granger et du linguiste Martinet apparaissent ainsi comme tout à fait complémentaires.

Bien entendu, tous les problèmes ne sont pas pour autant résolus. Que l'on songe, pour ne nous en tenir ici qu'à une seule difficulté, au problème de la délimitation des « petits groupes » sémantiques. Par exemple, écrit Mounin, comment montrer linguistiquement que *demain* et *en voiture* ne font pas partie d'un même système, dans le cas d'un énoncé comme *Nous partirons...* alors que *demain, aujourd'hui* et *hier* appartiennent à un même système (1979, p. 238) ? Serait-ce parce que *demain - aujourd'hui - hier* sont mutuellement exclusifs ? Quoi qu'il en soit, il n'en demeure pas moins que, vue dans les perspectives complémentaires de Martinet et de Granger, la sémantique (ou mieux : l'axiologie) paraît avoir trouvé de solides assises susceptibles d'aboutir à d'intéressants résultats.

CHAPITRE VI

L'ambiguïté sémantique

Lorsqu'il a été question dans les chapitres antérieurs de la délimitation et de l'organisation des unités sémantiques considérées soit globalement, soit en tant qu'entités décomposables en traits de sens, une question d'importance a été présupposée résolue, à savoir le fait pour un signe de comporter plus d'un signifié. Au moment d'analyser des monèmes lexicaux comme *cabane* ou comme *chaise*, les autres sens de ces mots qui ne se rapportaient pas au thème traité, et qui sont pourtant consignés dans les dictionnaires, ont tout simplement été mis de côté : le fait, par exemple, que le terme de *chaise* puisse désigner une base ou « charpente faite de pièces assemblées et supportant un appareil », comme c'est le cas dans les énoncés *chaise d'un clocher, chaise d'un moulin, chaise d'une meule*, etc., ou le fait qu'une *cabane* puisse être définie comme une « case où l'on place les vers à soie pour qu'ils y filent leur cocon ». Nous n'avons, en procédant ainsi, que suivi la pratique de la plupart des sémanticiens, même les plus soucieux d'objectivité, comme Apresjan qui se voit contraint, au point de départ de son analyse distributionnelle des significations lexicales, comme on l'a vu au cours du troisième chapitre, d'admettre les différents sens établis au préalable dans un dictionnaire unilingue. Pourtant, le fait de s'en remettre aux dictionnaires d'usage ne résout pas tous les problèmes de la multiplicité de significations de certains signes. En vertu de quels critères est-il permis d'attribuer plus d'un signifié à un même signifiant ? Il y a là une décision que le sémanticien est amené à prendre dans nombre de cas puisque rares sont les mots qui présentent cette particularité d'être monosémiques, c'est-à-dire de n'avoir qu'une seule signification et non pas, comme le laisse entendre le mot *monosémique*, un seul sème (nous renvoyons à ce sujet à la partie « Sème et signification » des *Clefs pour la sémiologie* de Jeanne Martinet, 1973, pp. 87-89).

1. HOMONYMES OU POLYSÈME ?

Traditionnellement, et en particulier à l'époque classique, le problème de la phrase se réduit, d'un point de vue prescriptiviste, à lutter contre les « équivoques » susceptibles de gêner le bon fonctionnement de l'usage linguistique (à ce sujet, voir Denise et F. François, 1967, pp. 176-177, n. 42). Sur le plan de l'ambiguïté lexicale, le problème de la délimitation des différentes significations d'un mot est posé en termes d'homonymie et de polysémie. Est considéré comme polysémique un signifiant qui présente plusieurs signifiés reliés entre eux d'une certaine manière; sont considérés comme homonymiques (homographes ou homophones) des signifiants qui présentent plusieurs signifiés non reliés entre eux. C'est ainsi que, encore de nos jours, dans les dictionnaires usuels un mot comme *bureau* sera traité comme un polysème si un rapport est perçu par le lexicographe entre le bureau en tant que table de travail et le bureau comme lieu où travaillent des bureaucrates; à l'inverse, si aucun lien n'est senti entre ces deux signifiés, on dira qu'il s'agit de deux homonymes. Cette conception de l'ambiguïté lexicale se traduit habituellement dans les dictionnaires de la façon suivante : deux mots vus comme tout à fait distincts sémantiquement, c'est-à-dire des signes homonymes, font l'objet d'articles séparés; par contre, les signes polysémiques, c'est-à-dire dont les signifiés présentent un certain dénominateur commun, figurent sous une même entrée, à deux adresses différentes. Par exemple, alors qu'il y a deux entrées pour *grève* (cessation de travail et rivage) dans le *Lexis* (1975) et *Le Petit Robert* (1967), il n'y en a qu'une dans le *Petit Larousse* (1973), se subdivisant en deux sous-ensembles. *Fugue* (fuite et composition musicale) a une double entrée dans le *Lexis*, mais une seule dans *Le Petit Robert* et le *Petit Larousse*. Quant au mot *rue* (voie et plante), il figure en adresse dans le *Lexis* mais en double entrée dans le *Petit Larousse* et *Le Petit Robert*. On pourrait ainsi multiplier les exemples qui ne feraient alors que souligner davantage le caractère arbitraire des solutions empiriques des auteurs de dictionnaires. En outre, font remarquer Denise et F. François (1967, p. 155), si l'ambiguïté tient une place excessive dans les dictionnaires c'est qu'en eux se mêlent plusieurs états synchroniques successifs.

A) *Critères de distinction*

La difficulté provient principalement du fait que les critères de distinction entre l'homonymie et la polysémie ne sont pas toujours aussi efficaces qu'on le voudrait. Recourir aux modèles dérivationnels des mots homonymes pour montrer leur différence, c'est oublier le fait que dans la communication linguistique normale un mot n'apparaît pas accompagné de ses dérivés. Se fonder sur l'analyse distributionnelle des mots, c'est-à-dire sur leurs possibilités de combinaisons au niveau de l'énoncé, comme le propose Dubois sur un exemple (le verbe *passer*) dans son esquisse d'un dictionnaire structural (1962 *b*), c'est soulever de nouvelles difficultés : pareille méthode, d'une part, ne rend pas compte des sens distingués intuitivement par un locuteur et, à l'inverse, distingue des emplois qu'un locuteur ne sent pas intuitivement comme différents (Todorov, 1966, p. 20). Le critère de la graphie n'est guère plus sûr : *conte* et *compte* seraient des homonymes mais la graphie divergente de *dessin* et de *dessein* n'arrive pas à dissimuler la communauté d'étymon de ces deux signes. C'est que l'étymologie passe le plus souvent pour le critère décisif en la matière. Pourtant, si *rue* (la voie) et *rue* (la plante) n'ont pas d'origine commune puisque le premier vient du latin *ruga* alors que le second vient du latin *ruta,* par contre *fugue* (la composition musicale) et *fugue* (la fuite) proviennent d'une même source italienne *fuga.* Intuitivement aucune filiation historique n'est perçue entre *grève* (le rivage) et *grève* (la cession de travail); pourtant, une connaissance de l'histoire fait immédiatement voir en quoi le deuxième sens est issu directement du premier : les ouvriers parisiens sans travail avaient l'habitude de se réunir sur la place de Grève, au bord de la Seine. Ce qui pose en définitive le problème de la place de l'étymologie dans la recherche sémantique.

Lorsque Guiraud reconstruit, par exemple, tout le système de la « tromperie » à partir des affinités entre les étymons de chaque mot, ou lorsqu'il montre la structure formée par les mots tirant primitivement leur signification de la notion de « coup », « c'est bien — pour reprendre sa formulation — une définition des structures sémiques des mots qui est en cause » (*c* 1955, 1972, p. 109). Par ses études d'étymologie structurale, il se situe sans aucun doute à mi-chemin entre l'approche distributionnelle et l'approche componentielle : à l'alogicité lexicale de la première et au logicisme de la seconde, il oppose une logique proprement linguistique soumise aux aléas de l'évolution historique *(ibid.).* Toutefois, si les structures étymologiques établies par Guiraud ont le mérite d'être proprement linguistiques (c'est pourquoi il les appelle avec raison des « champs morpho-sémantiques »), il n'en demeure pas moins que, vues dans une perspective fonctionnelle, elles déçoivent. On ne saurait, bien sûr, reprocher à Guiraud de n'être pas fonctionnaliste. Là n'est pas la question. D'un point de vue proprement structural mais non fonctionnel, ses recherches constituent l'une des plus sérieuses entreprises sémantiques menées jusqu'à maintenant. Nous faisons d'ailleurs entièrement nôtre ce jugement de J.-P. Colin sur Guiraud : « La hardiesse de ses vues est étayée par une érudition immense et sans défaut : il n'est certes pas donné à n'importe quel « fouineur de mots » de pouvoir compléter ou corriger sur certains points le FEW, en faisant appel à toutes les ressources lexicales de notre idiome et en s'aidant même, le cas échéant, d'un répertoire vidocquien fort peu orthodoxe » (1969, p. 123). Les travaux de Guiraud sont sans conteste d'un apport inestimable à l'étymologie structurale. Mais la grande difficulté, d'ailleurs bien vue par Guiraud lui-même (*ibid.*, p. 111), est que la motivation (dans le sens saussurien du terme) des mots qu'il étudie est purement étymologique alors que beaucoup de ces mots sont aujourd'hui sentis comme totalement arbitraires. Par exemple, comme le fait observer très pertinemment Schogt, le mot *enfant* vient du latin *infantem*, accusatif de *infans* (de *in*- négatif, et *fans* participe présent de *fari* « parler ») : « Le sens étymologique de *enfant* est donc « celui qui ne parle pas » : doit-on dès lors voir un contresens dans une phrase comme *cet enfant est terriblement bavard*, puisque étymologiquement *enfant* signifie « celui qui ne parle pas »? (1976, p. 9). Fonctionnellement, c'est-à-dire en termes de choix au niveau de l'énoncé, seules les valeurs actuelles des termes importent : « Dans une optique fonctionnelle conséquente, toute référence à l'histoire de la langue est exclue dès qu'il s'agit de préciser dans quelles conditions les usagers, tous les usagers, arrivent à communiquer dans cette langue. Le vrai problème de l'échange langagier ne se pose pas au niveau du philologue ou du linguiste, mais à celui du locuteur ordinaire » (Martinet, 1974, p. 37). C'est pourquoi le problème de l'homonymie et de la polysémie doit être abordé sans qu'entrent en jeu des critères d'ordre étymologique.

B) *Définition hégérienne de la polysémie*

C'est ainsi par exemple que Heger, partant d'un examen des conceptions traditionnelles, en arrive à proposer une nouvelle définition de la polysémie. Traditionnellement, écrit-il, la polysémie se définit comme suit : « Il y a polysémie là où deux (ou plusieurs) monèmes-contenu correspondent à un seul monème-expression » (1968, p. 18). Il n'est pas difficile, ajoute-t-il, de voir en quoi pareille définition est une absurdité. En effet, en vertu du lien indissoluble qui est censé exister entre un signifiant et un signifié (en termes saussuriens) ou encore, en vertu de la dépendance mutuelle établie entre les plans de l'expression et du contenu (en termes hjelmsléviens), pareille formulation est une contradiction puisqu'elle consiste à affirmer que deux monèmes-contenu correspondent à un seul monème-expression. C'est pourquoi Heger renonce à cette définition et préfère se placer sur un autre plan, celui de la substance du contenu. C'est ce qui l'amène alors à faire une distinction entre signifié et concept : les deux appartiennent au plan des unités conceptuelles, mais le signifié seul, comme on l'a vu au cours du deuxième chapitre, entretient des relations avec la structure immanente d'une langue donnée. Partant de ces prémisses, Heger en arrive ainsi à la définition suivante de la polysémie : « Il y a polysémie là où deux (ou plusieurs) concepts correspondent à un seul monème, ou, plus exactement, là où le signifié qui correspond à un monème est la somme — soit obligatoire, soit facultative — de deux (ou plusieurs) concepts » (*ibid.*, p. 21). C'est d'ailleurs cette distinction entre signifié et concept qui sert de justification à l'existence de l'onomasiologie structurale. La difficulté avec cette définition de la polysémie, c'est qu'elle repose précisément sur la distinction entre concept et signifié. Or, comme on l'a vu au cours du deuxième chapitre, les fondements de la distinction proposée nous paraissent plutôt précaires. Ce n'est que dans la mesure où l'on pourrait prouver véritablement l'indépendance du concept par rapport aux structures immanentes d'une langue donnée que l'on fournirait une base théorique solide à la définition de la polysémie proposée par Heger.

C) *Les traits substitutifs de Prieto*

La polysémie, comme on l'a vu, est liée à l'homonymie. C'est sous ce dernier angle que Prieto, de son côté, préfère aborder la question. Selon lui, le problème doit être posé en termes de « traits substitutifs » (1964, pp. 64-68). En effet, fait-il remarquer, en admettant que le sens qu'un locuteur cherche à établir est identifié par l'auditeur grâce non seulement à la phonie prononcée mais aussi grâce à la situation extra-linguistique, il s'ensuit qu'on ne saurait accepter la conception traditionnelle de l'homonymie. Suivant celle-ci il faudrait admettre l'existence d'entités bifaciales ne différant que par l'une de leurs faces. Or, continue Prieto dans ses *Principes de noologie*, il serait absurde « de supposer que deux phonies identiques peuvent contribuer différemment à l'établissement du sens » (p. 68). C'est pourquoi il serait préférable de dire qu'il ne peut y avoir qu'une phrase en français, /il a aporte l so/ par exemple, dont le signifiant présente cette particularité de comporter un trait substitutif (« sceau » ou « seau »). Prieto a sans aucun doute raison : il paraît difficile de voir comment une même phonie pourrait admettre en même temps plus d'un signifié, c'est-à-dire, dans sa terminologie, plus d'une classe de sens, puisqu'une phonie ne peut à la fois admettre et ne pas admettre un même sens. Ainsi, le traitement de l'homonymie en termes de traits substitutifs est certainement une proposition valable au niveau de l'énoncé : s'il est permis de parler de traits substitutifs pour « seau » et pour « sceau », c'est qu'il existe, pour le reste de l'énoncé, nombre de traits communs (en l'occurrence les traits correspondant à *Il a apporté* ...).

D) *Identité ou non-identité des monèmes*

Toutefois, à y regarder d'un peu plus près, on se rend compte que, en dépit de son mérite, la notion de traits substitutifs présuppose résolue la question de la démarcation entre les significations d'un même mot. Pour qu'il soit effectivement question de traits substitutifs comme « seau » et « sceau » ne faut-il pas s'être au préalable prononcé sur le caractère tout à fait distinct de ces deux significations ? Comment, par exemple, parler de traits substitutifs dans le cas de *bureau* si l'on n'a pas établi au préalable qu'il s'agit de deux significations distinctes ? Or, c'est précisément là que se pose le véritable problème de l'homonymie, que Prieto passe sous silence. Synchroniquement et fonctionnellement, la question de l'homonymie ou de la polysémie des unités linguistiques doit être réduite à celle de l'identité ou de la non-identité des monèmes. Le problème se pose en ces termes : « Deux signifiants identiques, qui correspondent à des signifiés totalement ou partiellement différents, ne peuvent figurer dans des contextes lexicaux identiques — lorsque la situation n'offre aucun recours — sans affecter la réussite de l'acte de communication » (Martinet, 1974, p. 42). Autrement dit, deux signifiants identiques mais de signifiés différents ont tendance à s'exclure mutuellement des mêmes contextes. C'est ce qui fait que, pour bien marquer une opposition en vue, il y a moyen de projeter sur le syntagme un élément du paradigme, comme dans *ils sont neuf(s)... non usés* ou... *pas dix*. Ou encore, le locuteur pourra se tirer d'affaire en substituant *achetés d'hier* à *neufs* (exemple emprunté à Martinet, 1974, p. 42). Comme il y a tendance à exclusion mutuelle des mêmes contextes, les rapports entre les monèmes de ce type ne relèvent donc pas, à proprement parler, du plan paradigmatique : chacun est membre d'une classe distincte. Par exemple, *fugue* (fuite) est membre d'une classe comportant des unités comme *escapade*, *fuite*, etc., alors que *fugue* (pièce musicale) fait partie d'un paradigme tout à fait différent incluant des mots comme *sonate, canon,* etc. Grâce à la technique de commutation, il paraît possible de procéder pour les unités significatives de la même manière que dans le cas des phonèmes : deux monèmes seront dits différents s'ils s'opposent dans un environnement identique (contextuel et situationnel). Par exemple, dans *Donnez-moi le crayon* et *Donnez-moi le cahier, crayon* et *cahier* sont, de toute évidence, des monèmes différents. Par contre, dans des environnements différents, deux segments significatifs seront considérés comme identiques si les rapports qu'ils entretiennent avec les autres unités susceptibles d'apparaître au même point de l'énoncé sont les mêmes; si les rapports sont différents, on dira alors qu'il s'agit de monèmes différents. Par exemple, dans *Donnez-moi le crayon, Ce crayon est rouge, Ce crayon écrit mal, crayon* s'oppose toujours, dans chacun de ces emplois, à *stylo, plume,* etc. Il s'agit donc, dans chaque cas, du même monème. Toutefois, dans *L'interprétation de cette fugue est magistrale* et *Je préfère les sonates aux fugues,* il ne fait nul doute que *fugue* ne s'oppose pas aux mêmes unités auxquelles s'oppose *fugue* dans *Les fugues de cet enfant sont fréquentes* ou dans *Au cours de sa fugue, il a perdu son portefeuille.* C'est donc en définitive par l'épreuve de commutation que doit être résolu, de manière *ad hoc,* chaque cas d'homonymie-polysémie : « Dans une optique dynamique, on dira que l'homonymie est la tendance à identifier les signifiants, quels que soient les facteurs qui poussent à la confusion des formes. La polysémie est le processus qui entraîne les unités à assumer les emplois les plus inattendus afin de permettre à l'homme de mieux expliciter la vision qu'il a du monde » (Martinet, 1975 *b,* p. 829).

Tous les problèmes ne sont pas pour autant résolus. Certes, il y a bien des cas où, comme le font remarquer Denise et F. François dans leur important article sur « L'ambiguïté linguistique » (1967), la différence entre deux sens est nette. C'est ce qui se produit pour les monèmes grammaticaux. Dans le cas des pronoms personnels, par exemple, *je* s'oppose à *tu* et à *il* ou *elle*, et spécifie ainsi la personne qui parle. Que l'on ne sache pas qui dit quoi à qui dans un énoncé, hors contexte et hors situation, comme *je le lui ai dit*, n'implique d'aucune manière la présence d'une ambiguïté au niveau du sens; il ne s'agit que d'une indétermination au niveau référentiel. La différence est claire, également, dans le cas du paradigme des possessifs (*mon livre, ton livre*, etc.). La difficulté d'une démarcation entre les signifiés d'un signe se produit surtout au niveau des monèmes lexicaux. Si, là encore, il est relativement aisé d'établir dans bon nombre de cas une différence de sens, comme dans *civil* opposé respectivement à *religieux*, à *militaire*, à *criminel* et à *naturel* (Denise et F. François, 1967, p. 164), il n'en va pas toujours aussi facilement pour toutes les unités lexicales. Par exemple, si *se lever* s'oppose à *se coucher* d'une part et à *s'asseoir* d'autre part, il s'oppose aussi à *se pencher, s'accroupir, s'étendre*, etc. *(ibid)*. Est-ce à dire qu'il y aura autant de sens différents pour *se lever* qu'il y a d'oppositions distinctes possibles ? Chaque cas, suivant la suggestion de Martinet (1973 *b*, pp. 28-29), devra donc être jugé selon ses propres mérites, de sorte qu'il sera question soit de « neutralisation des oppositions significatives, là où la distinction n'a plus de sens », soit de syncrétisme lorsque la différenciation sémantique se fait sentir non dans la forme linguistique mais par un recours au contexte ou à la situation (sur ce dernier aspect, voir également Martinet, 1976, pp. 31-33). Par syncrétisme il faut entendre, suivant la suggestion de François, les cas d'homonymie partielle, « c'est-à-dire lorsque dans un contexte donné une seule forme correspond à deux signifiés entre lesquels on doit choisir et auxquels correspondent dans une autre position deux signifiants différents » (1968 *c*, pp. 236-237). Telles sont donc les deux conditions à remplir pour qu'il y ait syncrétisme : différence fonctionnelle et analogie formelle. C'est le cas, par exemple, de *templum* en latin : cette forme est un nominatif ou un accusatif (c'est la différence fonctionnelle de signifiés), alors que, dans *dominus-dominum*, par exemple, à cette différence de signifiés correspond une différence de signifiants (d'après François, *ibid.*, p. 237).

2. SIGNIFICATION ET USAGE

Le problème de l'ambiguïté lexicale n'a pas toujours été vu exclusivement sous l'angle de la polysémie ou de l'homonymie. Devant les difficultés soulevées par ce type d'approche, bon nombre d'auteurs notoires se sont détournés de la façon classique de poser le problème de la signification et en sont venus à s'intéresser davantage aux variations de sens qu'à la délimitation précise entre les différentes significations d'un mot, tout signe devenant en quelque sorte potentiellement ambigu. C'est ainsi qu'est apparue la formule, familière aux philologues, suivant laquelle un mot n'aurait de sens qu'en contexte : en soi, le mot serait dénué de signification. Telle est, par exemple, la position du linguiste-philologue Meillet, fondateur de l'école française de linguistique sociologique : « Le sens d'un mot n'est que la moyenne entre les emplois qu'en font les individus et les groupes d'une même société » (*c* 1921, 1948, t. I, p. 256). Cette formule a été reprise en particulier par E. Benveniste : « Le « sens » d'une forme linguistique se définit par la totalité de ses emplois, par leur distribution et par les types de liaisons qui en résultent» (*c* 1954, 1966, p. 290). Peu après, toujours en France, elle a été invoquée par Dubois sous l'étiquette de « valeurs d'emploi» (1962 *a*, pp. 37, 58 et sq., et 1962 *b*, pp. 46 et 48). Pour J. R. Firth, le véritable créateur de l'Ecole linguistique de Londres, « chaque mot utilisé dans un contexte nouveau devient par là même un mot nouveau» (*c* 1957, 1961, p. 190), ce qui n'est pas sans rappeler la conception de son précurseur, l'anthropologue-linguiste B. Malinowski (*c* 1923, 1952, p. 307; sur cette question, voir notre article de 1972 : « Origine et évolution de la notion de « situation » de

l' « Ecole linguistique de Londres » : de Malinowski à
Lyons »). Chez C. W. Morris, qui tente dans les années 30
de jeter les bases d'une science générale des signes, la
signification se réduit à la ou aux règles gouvernant
l'usage des signes. Quelques années plus tard, le philosophe L. L. Wittgenstein fait un pas de plus en allant
jusqu'à affirmer que la signification d'un mot n'est rien
d'autre que l'ensemble de ses usages. Cette thèse, adoptée
en linguistique par R. Wells (1954), reprise puis aussitôt
abandonnée par L. Antal (1964, p. 37), trouve encore de
nos jours un certain nombre d'adeptes dont, en particulier,
T. de Mauro (dans son volume de 1967 et surtout — d'après
Mounin, 1972 a, p. 187, n. 1 — dans son ouvrage *Senso e
Significato*, 1971). Quant à Hjelmslev, créateur de la
linguistique glossématique, voici comment il expose dans
ses *Prolégomènes à une théorie du langage* ses vues sur la question : « Il n'existe pas de signification identifiable autre
que la signification contextuelle. Toute grandeur, et par
conséquent tout signe, est définie de façon relative et non
absolue, c'est-à-dire uniquement par sa place dans le
contexte... Les significations dites lexicales de certains
signes ne sont jamais que des significations contextuelles
artificiellement isolées ou paraphrasées. Pris isolément,
aucun signe n'a de signification. Toute signification naît
d'un contexte, que nous entendions par là une situation
ou un contexte explicite, ce qui revient au même » (*c* 1943,
1968, p. 67). Ces citations et ces références visent ici à
montrer non seulement l'étendue mais l'importance en
linguistique de ce que H. E. Brekle appelle un peu abusivement « la théorie de l'utilisation des significations » (*c* 1972,
1974, p. 46), et J. R. Searle, « la théorie de l'emploi »
(*c* 1969, 1972, p. 200). Pour fins de discussion, toutes ces
formulations, allant de l'idée que la signification d'un mot
peut être établie par observation de son usage jusqu'à
celle, plus audacieuse, que la signification même d'un mot
se confond avec son usage, seront ramenées au slogan :
le sens d'un mot, ce sont ses usages.

A) *La conception de Wittgenstein*

Avant de commenter cette thèse, il convient cependant de dissiper un possible malentendu au sujet de la conception de Wittgenstein. Il arrive fréquemment en effet que le slogan wittgensteinien : « Don't ask for the meaning; ask for the use » (ne cherchez pas la signification, cherchez plutôt l'usage) soit compris par les linguistes comme l'établissement d'un rapport de synonymie entre signification et usage. Si Wittgenstein paraît bien être l'auteur de ce slogan qu'il utilisait, à ce qu'il semble, au Club des Sciences morales de Cambridge (d'après J. Bouveresse, 1971, p. 61, n. 31), il n'en reste pas moins que, si l'on se fie à ses propos écrits, il faut nuancer ce jugement. Assez paradoxalement puisqu'il est précisément question ici de la valeur du contexte linguistique, pareille interprétation apparaît comme abusive dès que l'on tient compte du contexte. Wittgenstein écrit : « Pour une classe *étendue* de cas d'utilisation du mot « signification » — encore qu'il n'en aille pas ainsi pour *tous* les cas d'utilisation de ce mot — on peut expliquer *(erklären)* ainsi le mot : la signification d'un mot est son usage dans le langage » (*Philosophische Untersuchungen*, 43) (Bouveresse, 1971, p. 62)[1]. En d'autres termes, la notion de signification ne se confond avec celle d'usage que *dans certains cas*, et non dans tous les cas comme on le laisse parfois entendre. De plus, fait remarquer Bouveresse, même ainsi nuancée, la conception de Wittengenstein ne doit pas être comprise comme une identification théorique de la signification et de l'usage en vue de trouver une solution adéquate à un problème de sémantique linguistique. Suivant l'interprétation de Bouveresse, la formule wittgensteinienne serait moins

---

1. Nous citons d'après la traduction personnelle de BOUVERESSE, légèrement différente ici de la traduction française de P. Klossowski parue chez Gallimard : « Dans une catégorie considérable de cas — mais non pour tous — où nous employons le terme « sens », on peut le définir ainsi : le sens d'un mot est son emploi dans la langue » (1961, p. 43).

« une définition à prétention scientifique qu'une de ces nombreuses analogies ou métaphores que nous pouvons utiliser pour décrire le fonctionnement de notre langage et... Wittgenstein lui donne la préférence essentiellement pour des raisons *philosophiques*, c'est-à-dire à cause de ses vertus thérapeutiques » (p. 66). Autrement dit, comme Wittgenstein s'intéresse avant tout au problème philosophique de la signification, ce n'est qu'avec beaucoup de prudence que le linguiste devrait se servir de sa formulation, c'est-à-dire identifier tout simplement « signification » et « usage », dans une approche proprement linguistique du problème sémantique. L'éventualité d'un tel malentendu écartée, mentionnons que pour l'un des plus grands continuateurs de la philosophie analytique anglaise, Searle, si la notion d'emploi a permis d'échapper aux théories traditionnelles de la signification, elle a cependant été, en tant qu'outil d'analyse, à la source de trois erreurs sur le plan philosophique : l'erreur sur l'assertion, l'erreur sur les actes de langage et l'erreur de la théorie de l' « erreur naturaliste » (*c* 1969, 1972, chap. 6 : « Trois erreurs de la philosophie contemporaine », pp. 181-208). Ces trois difficultés, selon Searle, viennent de ce que l'on suppose l'équivalence entre « Que signifie le mot M ? » et « Quel est l'emploi de M ? » (p. 199).

B) *L'usage en logique*

En logique, la référence à l'usage d'un terme afin d'en fixer le sens remonte apparemment aussi loin qu'à J. Gergonne qui, dans un *Essai sur la théorie des définitions* paru en 1818, introduit la notion de « définition implicite » : « Si une phrase, remarque-t-il, contient un seul mot dont la signification nous est inconnue, l'énoncé de cette phrase pourra suffire à nous en révéler la valeur. Si, par exemple, on dit à quelqu'un qui connaît bien les mots *triangle* et *quadrilatère*, mais qui n'a jamais entendu prononcer le mot *diagonale*, que chacune des deux diagonales d'un quadrilatère le divise en deux triangles, il concevra sur-le-champ ce que c'est qu'une diagonale et le concevra d'autant mieux que c'est ici la seule ligne qui puisse diviser le quadrilatère en triangles. Ces sortes de phrases qui donnent ainsi l'intelligence de l'un des mots dont elles se composent, au moyen de la signification connue des autres, pourraient être appelées *définitions implicites*, par opposition aux définitions ordinaires, qu'on appellerait *définitions explicites* » (cité par R. Blanché, 1967, p. 30, et 1970, p. 240). Plus tard, dans l'axiomatisation des théories déductives, la notion de définition implicite prendra une importance considérable. La thèse de l'usage des mots, comme on peut le constater, n'est donc pas le propre de la linguistique : elle a eu et continue d'avoir des adeptes autant en logique formelle qu'en philosophie. On peut donc en mesurer, là encore, toute l'importance et toute l'étendue.

C) *Définition de l'usage*

Mais doit-on maintenant se demander qu'est-ce que l'emploi ou l'usage ? Puisque tout mot habituellement considéré comme dénué de sens, comme par exemple *slictueux*, *flivoreux* ou *bournifler*, est susceptible d'être utilisé en poésie (comme c'est le cas des mots qui précèdent, tirés d'un poème de L. Carroll — d'après Bouveresse, 1971, p. 63), il importe de préciser qu'il faut entendre par usage l'utilisation normale ou courante du langage dans sa fonction première d'instrument de communication. Dans ces conditions, l'usage linguistique d'un mot, ce sont les diverses significations de ce mot repérables grâce à ses contextes d'utilisation. Sur le plan purement théorique, qu'il suffise ici de mentionner qu'à la limite la théorie de l'usage reviendrait à nier la possibilité même de toute sémantique puisque le nombre de contextes imaginables pour une unité est pratiquement illimité : il y aurait ainsi autant de significations que de contextes concevables, ce qui serait une absurdité (Todorov, 1966, p. 19). Affirmer

que dans chaque contexte nouveau un mot a une signification différente paraît être un postulat manifestement
erroné, théoriquement inacceptable.

3. VALEUR DU CONTEXTE LINGUISTIQUE

A) *L'étude de Mounin*

Sur le plan pratique, nous disposons d'au moins deux
bonnes démonstrations de la valeur du contexte linguistique : celle de Mounin et celle de Brekle. Dans « La notion
de système chez Antoine Meillet » (1972 *a*, pp. 78-95),
l'analyse de Mounin vise à répondre en fait à deux préoccupations différentes : montrer d'une part dans quelle
mesure, grâce à son emploi du mot *système*, Meillet a
adopté la linguistique générale de Saussure et d'autre
part vérifier sur corpus (les deux tomes de *Linguistique
historique et linguistique générale* de Meillet) la validité du
postulat adopté précisément par Meillet, suivant lequel
« le sens d'un mot ne se laisse définir que par une moyenne
entre ses emplois linguistiques » (p. 78). Seule cette dernière visée sera ici prise en considération. Au cours de son
analyse des 214 occurrences du mot *système*, Mounin en
arrive à montrer que le contexte linguistique permet de
n'aboutir qu'à une définition à la fois multivoque et
incomplète du mot *système* : « A supposer, écrit Mounin,
que dans un millénaire on dispose seulement des deux
tomes de Meillet pour redécouvrir le sens du mot *système*
en linguistique au xxᵉ siècle, on ne pourrait pas reconstituer totalement ce sens » (p. 86). C'est que les contextes
propres à en déduire une définition sont rares (ici, 18
sur 220). De plus, parce que la tradition joue un rôle
important dans la transmission d'une notion, un auteur
n'éprouve pas toujours le besoin de définir explicitement
ses notions. Mounin en conclut alors que la thèse examinée
n'est pas totalement fausse, précisément dans la mesure

où elle n'est que la formulation scientifique de la procédure philologique qui vise à reconstruire le sens d'un mot à partir des textes dans lesquels ce mot est utilisé.

Dans son récent article consacré à l'évolution de l'axiologie de Martinet, Mounin s'interroge de nouveau sur le mécanisme lui permettant d'appréhender la signification d'un terme qu'il ignore (1979). Il s'agit du mot *murger*, qui apparaît deux fois dans un texte de Marie Physalix (*Vipères de France*, Ed. Stock, 1940, pp. 46 et 53). Voici l'enseignement qu'il en tire : « Même si les deux contextes dans le livre permettent de cerner la classe axiologique du terme, puisqu'il figure chaque fois dans une énumération où il voisine avec « régions humides », « prairies herbeuses ou marécageuses », « abords des parcs », « endroits où peuvent se trouver de petits lézards », « friches », « terriers », « galeries abandonnées des taupes », « anfractuosités rocheuses », « trous des vieux murs en pierres sèches », « vieilles souches » — je ne sais toujours pas le sens du signe *murger* » (1979, pp. 237, 238). Dans la terminologie de Prieto, il resterait à déterminer, précise Mounin, les sens admis par la phonie puis, parmi ceux-ci, celui qui est favorisé par le contexte et la situation.

B) *L'étude de Brekle*

Quant à Brekle, il a essayé en 1963, dans sa thèse intitulée *Semantische Analyse von Wertadjektiven als Determinanten persönlicher Substantive in William Caxtons Prologen und Epilogen*, de tester sur corpus la validité de la formulation suivant laquelle le sens d'un mot résulte de la totalité de ses emplois. Voici les conclusions qui s'en dégagent, telles que résumées par Brekle lui-même dans son ouvrage de 1972 (traduit en français et paru en 1974 sous le titre de *Sémantique*) : « Dans une situation historique et sociale déterminée, un individu peut définir cette situation par des signes et des combinaisons de signes. Cet individu doit avoir les mêmes conceptions de l'utilisation de la langue que les autres membres d'une même communauté linguistique. Sans cette identité de perception et de conception, la communication est absolument impossible. Le contenu du signe dans le système de la langue, c'est-à-dire la connaissance minimale commune des conditions d'emploi qui régissent l'utilisation du signe dans la communauté linguistique, résulte de la somme des analyses des réalisations individuelles (réalisations des signes dans leur situation individuelle d'utilisation) » (*c* 1972, 1974, pp. 46-47).

Les résultats de ces minutieuses études de Mounin et de Brekle appellent trois remarques. D'abord, fait à signaler, elles confirment les données déjà obtenues par les analyses de Dubois sur *Le vocabulaire politique et social en France de 1869 à 1872* (1962 *a*) : le contexte linguistique, c'est-à-dire l'ensemble des marques formelles entourant une unité, ne nous livre pas toute la signification de cette unité mais bien plutôt sa valeur ou position relative par rapport aux autres unités à l'intérieur du système linguistique. Cela signifie que l'analyse contextuelle permet certes de cerner quelquefois et partiellement le sens d'un terme mais n'en reste pas moins une technique qui a ses limites : elle ne fournit que des indices sur les relations entre les valeurs saussuriennes des termes sans toutefois réussir à en préciser la signification. Le cas des hapax, c'est-à-dire des mots qui n'apparaissent qu'une fois dans des états de langue disparus, est très révélateur à cet égard. Il est intéressant de noter, d'ailleurs, que la philologie dont Meillet a donné la formule méthodologique était en fait double : étude de tous les contextes, et étude des *realia*, c'est-à-dire descriptions de la réalité extra-linguistique.

Ensuite, elles viennent corroborer ce fait capital déjà perçu intuitivement par plusieurs mais dont seul Prieto a pu rendre compte : hors contexte et hors situation, un monème se définit déjà au moins négativement par sa différence avec tous les autres signifiés de la langue. Selon Prieto, en effet, le *sens* se définit comme un rapport social

concret qu'un émetteur veut établir. Par exemple, c'est
pour établir le rapport social « ordre de E. à R. de lui
rendre son crayon » que E. prononce la phonie *Rendez-le
moi*[2]. Comment le récepteur en arrive-t-il à reconnaître
quel est le sens que l'émetteur veut lui transmettre ?
En d'autres termes, comment reconstitue-t-il, sans qu'il
y ait embarras, les choix linguistiques du locuteur ? Grâce
d'une part à la phonie et d'autre part à la situation,
répond Prieto. Dans un acte de parole simple, une phonie
admet certains sens et en exclut d'autres. Supposons, par
exemple, que R. ait deux crayons : un noir avec lequel il
est en train d'écrire, et un rouge dans le tiroir de son
bureau. Si E. émet la phonie *Donnez-moi le crayon*, celle-ci
admet les sens « demande du crayon rouge » et « demande
du crayon noir »; du même coup, elle exclut : « demande
du cahier », « demande de la règle », etc. Tel est donc le
rôle de la phonie dans la communication linguistique :
elle admet certains sens et elle en exclut d'autres. En outre,
le *signifié* étant défini comme une classe de sens, c'est-à-dire
étant de nature abstraite, il s'ensuit que la phonie consiste
à indiquer à quelle classe de sens appartient le sens à
transmettre. En d'autres termes, un monème comme *glace*,
pris isolément, c'est-à-dire hors contexte et hors situation,
se définit par sa différence avec tous les signifiés que cette
phonie exclut : *papillon, cigare, maison, loisir*, etc. Cela
revient donc à dire que, même sans connaître le sens du
monème *glace*, nous savons déjà quels sont les signifiés
que cette phonie exclut. Mais, comme on l'a vu à propos
du mot *murger*, cela n'est pas suffisant. Serrant de plus
près le sens, la phonie *glace* admet toute une classe de sens
parmi lesquels se trouvent les sens « eau congelée »,
« vitre », « miroir », « tache », et « crème aromatisée ».
(Quant au rôle du contexte et de la situation, comme on

2. Pour des raisons de commodité pratique, on transcrira ici toute
« phonie » en orthographe ordinaire. On comprendra que dans les écrits
de Prieto tous les exemples sont donnés en notation phonique.

le verra dans la dernière section de ce chapitre, il consiste à « favoriser » un des sens parmi la classe des sens admis par la phonie.)

Le mécanisme suggéré par Prieto paraît pouvoir s'appliquer autant aux monèmes lexicaux qu'aux monèmes grammaticaux. Que l'on songe par exemple, pour s'en convaincre, aux différentes valeurs du *si* français ou du *et* français, comme l'a bien démontré O. Ducrot dans « D'un mauvais usage de la logique » (1972 *c*, pp. 137-151), et dans « Logique et linguistique » (1966, pp. 4-6). Il serait erroné de croire que, hors contexte et hors situation, un monème n'a pas de signifié, comme pourrait d'ailleurs le laisser entendre même une formule comme celle de Martinet : « Un segment comme *cousin* n'a proprement aucun sens hors de contextes formellement différents » (*c* 1970, 1974, 2-8). On comprend qu'elle ait pu prêter le flanc à la critique (par exemple Postal, 1966, p. 161) ou à la mésinterprétation (par exemple H. Parret, 1976, p. 88).

En dernier lieu, les conclusions des études de Mounin et de Brekle permettent de faire voir la nécessité de préciser pour tout signe les conditions de son emploi correct. Or, si l'existence d'un rapport constant entre une signification et son emploi en contexte est très certainement ce qui permet au philologue de rendre compte avec succès de la signification de certains mots à partir de leur emploi, il n'en demeure pas moins que, d'un côté, ces règles d'usage restent encore à établir et que, d'un autre côté, on ne saurait diluer la signification dans l'emploi, la régularité d'usage du signe n'étant qu'une condition de l'établissement de la signification. C'est ainsi qu'au terme de ce périple nous redécouvrons, par une voie détournée, notre interrogation initiale — comment en arriver à délimiter les différentes significations d'un même mot — sous cette nouvelle forme : dans quelles conditions deux mots ou deux expressions ont-ils un même usage ? Ce qui suppose résolue la question de la définition de l'usage linguistique : le problème de la signification n'a été que déplacé.

4. MANIFESTATIONS DE L'AMBIGUÏTÉ

Le problème de la signification, avons-nous écrit au début de ce chapitre-ci, provient en grande partie du fait que les mots monosémiques sont plutôt rares. Dans la majorité des cas, les unités lexicales comportant plus d'une signification sont ambiguës. Mais qu'est-ce au juste que l'ambiguïté ? L'ambiguïté sémantique est parfois définie comme ce qui, aux yeux du linguiste, paraît présenter plus d'une interprétation. Nous ne saurions nous contenter d'une aussi vague définition, qui n'a rien d'opératoire. Pour notre part, nous inspirant de la définition de Denise et F. François (1967, p. 158), nous dirons qu'il y a ambiguïté linguistique chaque fois que dans un énoncé émis normalement à des fins de communication il y a problème de choix pour l'auditeur. En effet, dans le cas de toute communication linguistique normale, comme le fait remarquer Jakobson (1963, p. 94), l'homonymie n'existe pas pour le locuteur : celui qui dit /so/, par exemple, sait à l'avance s'il veut dire « seau », « sot », ou « sceau ». Pour l'auditeur, il y a problème de choix s'il se trouve dans l'impossibilité de reconstituer les choix de son interlocuteur qui ont abouti à la constitution de tel message plutôt que de tel autre. Comme tout choix, dans la perspective fonctionnaliste de Martinet, présente un caractère discret, l'ambiguïté linguistique se situe nécessairement en un point précis de l'énoncé (ou, bien entendu, en plusieurs). Il s'ensuit que l'ambiguïté linguistique peut être étudiée aux deux niveaux de l'analyse, ceux de la première et de la deuxième articulation où se réalisent des choix pertinents. Nous laisserons ici de côté la question des ambiguïtés linguistiques au niveau de la seconde articulation pour nous en tenir aux problèmes de l'embarras linguistique au niveau des unités significatives. A ce niveau, comme le sens global d'un énoncé s'élabore à la fois sur le plan du signe et sur celui des rapports entre signes, il s'ensuit, comme l'ont bien fait voir Denise et F. François, que l'ambiguïté peut se manifester sur ces deux plans. Alors que sur le plan du signe isolé l'ambiguïté provient de la non-univocité du rapport entre le signifiant et le signifié — ce qui nous reporte à la question traitée au début de ce chapitre sous le titre « Homonymes ou polysème ? » —, sur le plan du rapport entre les signes les problèmes de choix ne peuvent provenir, précisément, que d'une difficulté dans l'établissement des rapports entre les signes.

La définition adoptée implique que les problèmes de reconstitution par l'auditeur des choix du locuteur soient bien d'ordre linguistique. Autrement dit, même si cela paraît aller de soi, il n'est peut-être pas inutile de rappeler que l'ambiguïté linguistique ne se manifeste que dans les cas de difficultés de décodage des choix linguistiques, c'est-à-dire relatifs à des oppositions d'unités linguistiques. Cela signifie que toute interprétation non univoque d'un message due à des imprécisions d'ordre non linguistique ne saurait être qualifiée d'ambiguïté linguistique. Il ne faudrait donc pas confondre référent et signification. Du côté des logiciens, la distinction remonte au moins jusqu'à G. Frege, à la fin du xixe siècle. Celui-ci reconnaît en effet que deux expressions peuvent avoir des sens *(Sinn)* différents tout en se référant à un même objet : c'est le cas, par exemple, de l' « étoile du soir » et l' « étoile du matin », ou encore de « 6 + 5 » et « 13 — 2 ». A l'inverse, une expression peut avoir un sens sans objet de référence *(Bedeutung)* : par exemple, « le corps céleste le plus éloigné de la terre » ou « la plus petite fraction ». Le plus souvent, reconnaît toutefois Frege, un signe possède à la fois un sens et une référence : « Au moyen d'un signe nous exprimons son sens et nous désignons sa référence » *(Ueber Sinn und Bedeutung*, 1892, p. 31 ; cité par Blanché, 1970, p. 319).

La distinction entre signification et référence, reprise par des logiciens aussi notoires que B. Russell, ou des philosophes comme Husserl, est généralement reconnue par les linguistes. Elle est rigoureusement défendue dans le camp fonctionnaliste par Coseriu. La distinction de celui-ci entre signification et ce qu'il appelle « désignation » (et que d'autres encore, comme Antal (1964), appellent *denotatum*) permet de tracer une frontière entre le linguistique et le non-linguistique. Par *désignation*, Coseriu entend le rapport entre une expression linguistique et la chose désignée (objet physique, activité, qualité, fait, événement, etc.). Quant à la *signification*, elle consiste en la classification du réel opérée par la langue, c'est-à-dire qu'elle se réduit aux rapports entre les signifiés des signes linguistiques. Il importe toutefois de préciser ici que cette distinction ne doit pas faire croire qu'il n'existe aucun lien entre ces deux plans. On ne saurait, sous prétexte que certaines théories philosophiques ou linguistiques ont établi des rapports inadéquats ou incorrects entre signe et référent, tout simplement évacuer les rapports entre ces deux entités.

Partant de ces prémisses, nous pouvons donc, tout comme H. Weydt (1972) à la suite de Coseriu, admettre l'existence de deux types d'ambiguïtés : l'ambiguïté de désignation (d'ordre non linguistique) et l'ambiguïté de signification. Dans le premier cas, « il s'agit d'une seule signification cohérente, mais qui admet deux ou plusieurs messages qui peuvent être différents »; dans le deuxième, « il s'agit d'une forme matérielle qui a deux significations; autrement dit : il s'agit d'un cas d'homophonie (ou d'homonymie) » (Weydt, 1972, p. 43). L'ambiguïté désignationnelle consiste en fait en une absence de détermination entre deux ou plusieurs possibilités. A titre de simple illustration, reprenons l'exemple bien connu de J. D. McCawley, *John and Harry went to Cleveland*. Le fait que John et Harry aient fait route ensemble ou séparément ne saurait relever du plan linguistique. En effet, s'il en était ainsi, il est permis de se demander comment l'on pourrait analyser une phrase comme *Those men went to Cleveland*. En supposant que *Those men* se rapporte à six hommes, cet énoncé ne serait plus ambigu de seulement deux façons, à savoir : *les six hommes ensemble* et *chacun séparément*. Dans « Le concept d'ambiguïté en grammaire transformationnelle-générative et en linguistique fonctionnelle », Weydt fait un rapide calcul montrant qu'il y aurait dans ce cas pas moins de 202 possibilités d'interprétation (par exemple, A seul, et B, C, D, E, F, en groupe; A seul, B seul, et C, D, E, F, ensemble, et ainsi de suite). En d'autres termes, la phrase *Those men went to Cleveland*, pour le cas où *those* se rapporterait à 6 hommes, compterait 202 structures profondes. Pour 15 personnes, continue Weydt, il faudrait des millions de structures profondes. De plus, comme il est possible de changer de formation à mi-chemin, cela signifie que la phrase en question est infiniment ambiguë. En généralisant le raisonnement de McCawley, il faudrait en arriver à admettre que toute phrase comportant un sujet au pluriel serait infiniment ambiguë. Que faire d'un énoncé comme *Ils nous ont dit quelque chose* ? A combien de personnes se réfèrent *ils* et *nous* ? Comme nous l'avons fait remarquer plus haut, l'opposition entre des pronoms personnels comme *ils* et *nous* est constante. Sur le plan de la signification, ces monèmes grammaticaux sont très précis; il ne s'agit que d'une indétermination des personnages en cause. En outre, il y a indétermination sur le plan référentiel non seulement quant au nombre de personnes impliquées, mais quant à la température qu'il faisait ce jour-là, quant à l'état physique de chacun, etc. Les déterminations de ce type ne constituent en fait que des précisions non pertinentes linguistiquement, liées à la seule connaissance du monde extérieur. Le fait, par exemple, qu'un mot comme *maison* ne nous renseigne pas sur ses dimensions, le nombre de pièces, le nombre d'occupants, la localisation précise, etc., ne signifie pas pour autant qu'il s'agit d'un signe ambigu : il n'y a là qu'indétermination relativement à la réalité, que polyvalence référentielle. L'existence d'un « vague » dans chaque signe, depuis longtemps reconnue par les philosophes et les logiciens, n'a rien à voir avec l'ambiguïté proprement sémantique, telle que définie plus haut.

Lorsqu'il est question de l'ambiguïté sur le plan du rapport signifiant-signifié, il faudrait cependant se garder de croire qu'il s'agit du traitement des signes hors contexte et hors situation. Le signe *café*, dans un énoncé comme *Le café est plein de punaises* (exemple emprunté à Denise et Frédéric François, 1967, p. 166), ressortit à ce type d'ambiguïté : si pareil énoncé risque de créer des problèmes de décodage à un auditeur, cela est dû à la non-univocité du mot *café* (lieu ou boisson). Par contre, dans un cas comme *Coiffeur pour dames de grande réputation* (*ibid.*, p. 178), l'ambiguïté se situe au niveau du rapport entre les signes, c'est-à-dire qu'elle s'explique par une difficulté de point d'incidence : l'auditeur ne sait pas à quel point de l'énoncé (*coiffeur* ou *dame*) rattacher *de grande réputation*. Toutefois, dans la plupart des cas de ce type, plusieurs moyens viennent pallier ces apparentes déficiences syntaxiques : contexte, accord, pause, reprise, sens, etc. (à ce sujet, voir Denise et Frédéric François, 1967, pp. 174-178). Si, dans l'usage quotidien du langage, la plupart des prétendues ambiguïtés ne donnent pratiquement jamais lieu à des malentendus, c'est surtout grâce au rôle joué par le contexte et par la situation extra-linguistique. C'est pourquoi il convient maintenant de nous attarder sur cette question.

5. SITUATION ET AMBIGUÏTÉ

En général, lorsqu'il est question du rôle de la situation par rapport au phénomène de l'ambiguïté, la majorité des auteurs s'en tiennent à cette constatation, devenue aujourd'hui banale, que la situation sert à « lever » ou à « dissiper » les ambiguïtés des énoncés linguistiques. Dans notre ouvrage intitulé *La notion de situation en linguistique* (1973), nous avons défini la situation comme « l'ensemble des faits connus par le locuteur et par l'auditeur au moment où l'acte de parole a lieu » (p. 26) ; par contexte d'une unité, nous entendons « l'ensemble des marques formelles linguistiques situées dans l'entourage prochain ou éloigné de l'unité considérée » (p. 39). Par exemple, dans un énoncé comme *Les jumelles grossissent* (exemple tiré du *Dictionnaire de didactique des langues* de R. Galisson et D. Coste, Paris, Hachette, 1976, article « ambigu ») — les sœurs jumelles prennent du poids ou les jumelles marines rapprochent les objets —, c'est grâce au recours à la situation extralinguistique ou au contexte que serait levée toute équivoque. A notre avis, cette façon de poser le problème doit être remise en cause. S'il est vrai, en effet, que c'est la situation ou, le cas échéant, le contexte proprement linguistique, qui permet de faire voir à l'auditeur de quel type de jumelles il s'agit, il n'en demeure pas moins qu'il y a, à ce qu'il semble, abus terminologique à parler de levée d'ambiguïté pour les cas de ce genre. La raison en est simple : la levée d'une ambiguïté présuppose l'existence effective d'une ambiguïté.

A) *Rôle du contexte et de la situation*

Qu'est-ce à dire ? Les quelques cas d'ambiguïté effective qui se réalisent au niveau des productions du discours sont en général dues soit à une incompréhension réelle involontaire entre deux interlocuteurs, ce qui aboutit alors à un échec de l'acte de communication, soit à une intention bien arrêtée de cultiver l'ambiguïté de manière à produire des jeux de mots, contrepèteries, messages à double sens, etc. C'est pourquoi il serait plus conforme au fonctionnement réel de la langue de dire que la situation et le contexte linguistique ont précisément pour rôle d'empêcher ou d'éviter que se produisent des ambiguïtés. C'est un fait depuis longtemps aperçu par plusieurs, et en particulier Michel Bréal, qui note dès 1897 que « quand nous voyons le médecin au lit d'un malade, ou quand nous entrons dans une pharmacie, le mot *ordonnance* prend pour nous une couleur qui fait que nous ne pensons en aucune façon au pouvoir législatif des rois de France... On n'a même pas la peine de supprimer les autres sens du mot : ces sens n'existent pas pour nous, ils ne franchissent pas le seuil de notre conscience» (*c* 1897, 1911, p. 145). C'est également ce que veut dire Tullio de Mauro (*c* 1966, 1969, p. 187), lorsqu'il fait observer que le leader à qui le député demande *Faisons-nous donc vraiment l'ouverture à gauche?* ne pensera certainement pas que le député veut lui demander s'ils vont abattre le mur gauche de l'Assemblée nationale; inversement, l'architecte à qui le contremaître pose la même question ne pensera jamais qu'il est question de faire prudemment des ententes avec la section communiste la plus voisine. C'est que les ambiguïtés de la langue ne sont que des ambiguïtés potentielles (ou virtuelles). S'il en était autrement, c'est-à-dire si toutes les ambiguïtés lexicales étaient effectivement actualisées dans chaque acte de parole, on aurait toujours l'impression, dans la moindre conversation, d'une série de jeux de mots. Denise et Frédéric François (1967) vont même jusqu'à affirmer que l'ambiguïté potentielle du signe est inévitable, étant liée à la combinatoire des unités dans la chaîne, et partant, à l'économie linguistique. Si l'on voulait supprimer radicalement l'ambiguïté potentielle, écrivent-ils, il suffirait de réduire la combinatoire de la langue, ce qui aboutirait au figement. « On pourrait supposer des unités, continuent-ils, qui se combineraient en gardant toujours le même sens, seul le sens du message global changeant (comme un chiffre changeant de place change le nombre qu'il sert à composer sans changer lui-même). C'est oublier que ce n'est justement que parce que nous avons l'habitude de nous servir du même signe que *nager* nous semble rester constant appliqué à un homme et à un poisson, non parce qu'il s'agit d'une même réalité dans sa nature extra-linguistique » (p. 169). En d'autres termes, il est économique que *Le secrétaire est dans le bureau* signifie soit que la personne qui agit en tant que secrétaire est dans le bureau, soit que le meuble appelé secrétaire est dans le bureau.

Mais, si l'ambiguïté potentielle est inévitable, l'ambiguïté effective, de son côté, ne l'est nullement. Selon nous, c'est Prieto qui a le mieux réussi à expliquer le mécanisme suivant lequel la situation empêche les ambiguïtés significatives de se réaliser. C'est pourquoi nous nous attarderons maintenant à l'étude de ce mécanisme. Selon Prieto, comme on l'a vu, dans un acte de parole simple, une phonie admet certains sens et en exclut d'autres. Toutefois, poursuit-il, la phonie seule ne suffit pas pour établir un sens. En effet, si *Donnez-moi le crayon* permet d'exclure des sens comme « demande du cahier » et « demande de la règle », et d'admettre des sens comme « demande du crayon noir » et « demande du crayon rouge », il reste que pour qu'un acte de parole réussisse, c'est-à-dire soit non ambigu, il faut qu'intervienne la situation dans laquelle a lieu cet acte de parole. Le rôle de la situation consiste à « favoriser » un des sens admis par la phonie : c'est parce que le récepteur est en train d'écrire avec son crayon noir et parce que son crayon rouge est dans son tiroir qu'il comprend que l'émetteur lui demande son crayon noir. Ainsi, dans tout acte de parole : 1) une phonie admet certains sens et en exclut d'autres; et 2) le récepteur attribue à la phonie celui parmi les sens admis que les circonstances favorisent le plus. Pour qu'un acte de parole réussisse, il faut donc, d'une part, que le récepteur attribue à la phonie un sens déterminé et, d'autre part, que le sens qu'il attribue et le sens que l'émetteur cherche à établir soient un seul et même sens — pour un prolongement et une discussion de ces questions, nous nous permettons de renvoyer à notre ouvrage *La notion de situation en linguistique* (1973), et en particulier au cinquième chapitre intitulé : « Rôles de la situation » (pp. 103-139). En posant en ces termes le problème de l'ambiguïté, Prieto montre en quoi la situation, qui a une réalité extra-linguistique, constitue bien un élément fonctionnel dans l'acte de communication linguistique, dont on ne saurait par conséquent négliger le rôle. Nous reprenons entièrement à notre compte ce jugement élogieux de Mounin à l'égard de Prieto : « On peut même penser qu'en apportant la preuve logique du caractère fonctionnel des circonstances dans l'acte de communication, Prieto règle plus qu'un problème technique : il fournit probablement l'une des preuves les plus radicales du caractère social de la communication linguistique, liée à un appui sur le monde extérieur d'abord et foncièrement — et non accessoirement —, plutôt qu'à un mystérieux rapport interne originaire entre la pensée conçue comme première et le langage vu comme son produit nécessaire externe » (1969, p. 234). Ainsi, en considérant que la situation sert à éviter plutôt qu'à lever les ambiguïtés linguistiques, on peut apporter un nouvel éclairage à l'importante question des traits pertinents situationnels, qu'il convient maintenant d'examiner.

B) *Les traits pertinents situationnels*

En termes fonctionnels, sont dits pertinents les éléments de la situation qui sont l'objet d'un choix de la part du locuteur, et qui doivent être reconnus comme tels par l'auditeur. Pour qu'il y ait réussite de l'acte de communication, il faut donc qu'il existe, comme l'observait déjà Bloomfield en 1933, des traits sémantiquement communs à toutes les situations : « Les traits par exemple qui sont communs à tous les objets pour lesquels les gens de langue française utilisent le mot *pomme* » (*c* 1933, 1970, p. 133). Ce sont les « phénomènes publiquement observables » de Carl Borgström (1957, p. 191). C'est ce qu'il est convenu d'appeler, dans le cadre de la linguistique fonctionnelle de Martinet, la *dénotation*, c'est-à-dire « ce qui, dans la valeur d'un terme, est commun à l'ensemble des locuteurs de la langue » (Martinet, 1967, p. 1290); la dénotation s'oppose ainsi aux *connotations* qui sont « tout ce que ce terme peut invoquer, suggérer, exciter, impliquer de façon nette ou vague, chez chacun des usagers individuellement » *(ibid.)*. La reconnaissance et l'identification des traits communs relèvent en définitive du problème de l'acquisition même du langage. C'est en effet grâce à la récurrence entre telle situation et tel mot que l'enfant en arrive peu à peu à « percevoir dans la situation les mêmes traits (pertinents) que les traits perçus par les membres de la communauté linguistique à laquelle il appartient » (Germain, 1973, p. 45). Cela revient à dire que les traits pertinents situationnels sont appris par la pratique même du langage en situation.

Est-ce à dire, par conséquent, que la seule méthode de détermination des traits situationnels pertinents soit celle qui consisterait à calquer, en quelque sorte, le processus suivi par l'enfant au moment de l'acquisition de sa langue maternelle. Dans notre ouvrage de 1973 nous étions de cet avis : « De même que l'enfant doit, pour acquérir le signifié d'un monème, observer la récurrence de certains traits dans l'ensemble des situations dans lesquelles se produit ce monème, de même l'analyste devrait chercher les traits constants ou permanents qui se retrouvent dans l'ensemble des situations dans lesquelles se produit le monème en question » (p. 47). Nous ne sommes plus de cet avis. Pourquoi ? Pour deux raisons, dont l'une théorique et l'autre pratique. Théoriquement, ce serait, croyons-nous, confondre acquisition et usage de la langue. Pratiquement, la tâche paraît illimitée, voire même impossible, du moins dans le cas des situations non physiques. Nous ne croyons pas, en somme, que le problème de la détermination des traits pertinents situationnels soit correctement posé. Prenons par exemple le cas, typique à cet égard, de Prieto, celui-là même qui a su mieux que quiconque démontrer le caractère fonctionnel de la situation dans la communication linguistique. Dans ses *Principes de noologie* (1964), sous le curieux prétexte que « cela ne présente pas d'intérêt pour l'étude du sens » qu'il envisage

(p. 38), il se contente sur cette complexe mais importante question de suggérer, en note, la procédure suivante : « Il faudrait changer chacune des circonstances en jeu et vérifier si, à la suite de ce changement, le sens et la phonie peuvent ou non rester identiques. Les circonstances « pertinentes » seraient celles qui ne peuvent pas être changées sans modification conséquente de la phonie ou (/et) du sens. Dans l'acte de parole mentionné ci-dessus, par exemple, le fait que R. écrit avec son crayon noir constituerait une circonstance « pertinente », tandis que le fait que sur la table il se trouve un livre de linguistique constituerait une circonstance « non pertinente »» (p. 37, n. 3). Deux ans plus tard, dans *Messages et signaux* (1966), il s'en tient de nouveau, toujours en note (p. 48, n. 1), à cette idée suivant laquelle le recours au mécanisme de l'indication permettrait peut-être de faire voir quels sont, parmi les faits dans lesquels se produit un énoncé, ceux qui sont pertinents, c'est-à-dire qui jouent un rôle linguistique, et ceux qui ne le sont pas. Même si Prieto n'a pas eu l'occasion, par la suite, de tester sur des exemples concrets le bien-fondé de son hypothèse, la technique qu'il suggère paraît représentative de ceux qui s'intéressent à la question. Cette procédure se caractérise par le fait qu'il faut commencer par changer chacune des circonstances en jeu. Or, c'est précisément là que se situe le problème : pour pouvoir changer chacune des circonstances en jeu, ne faut-il pas au préalable connaître chacune de ces circonstances ? Comment en arriver à pareille connaissance puisque les circonstances dans lesquelles se produisent les actes de parole sont pratiquement illimitées. En d'autres termes, pouvoir distinguer parmi les faits ceux qui sont pertinents et ceux qui ne le sont pas implique la connaissance préalable de toute la situation et, à la limite — pour reprendre les termes de Bloomfield —, de tout l'univers. C'est d'ailleurs l'objection de principe qui est faite habituellement contre ceux qui croient en la pertinence linguistique de certains traits situationnels. Par exemple, c'est le raisonnement spécieux, repris encore de nos jours par les tenants de la grammaire générative, qu'évoquent en particulier Katz et Fodor contre la possibilité de construire une théorie générale du contexte.

I / *Choix du locuteur et traits pertinents situationnels.* — Le problème, à notre avis, devrait être posé autrement. S'il s'agit de déterminer quels sont les faits situationnels qui déterminent des choix linguistiques, nous pensons qu'il serait erroné de nous placer de prime abord sur le plan de la situation. Dans une analyse de ce type, c'est notre sentiment qu'il faut, à l'inverse de ce qui est habituellement prôné, partir des éléments de l'énoncé afin de les confronter avec la situation. Autrement dit, c'est en s'interrogeant sur les conséquences, au niveau de la situation, de chacun des choix linguistiques du locuteur, que l'on pourra éventuellement en arriver à déterminer les traits pertinents situationnels des énoncés. De même que le phonologue n'a pas besoin de connaître parfaitement la nature physique des sons pour établir les oppositions phonologiques, de même le sémanticien (ou mieux : l'axiologue) n'est pas obligé de connaître la liste de toutes les situations possibles d'utilisation du langage. En ce sens, nous ne croyons pas qu'il soit nécessaire, suivant la suggestion de Pottier, « d'établir un inventaire des situations de locution » (1968, p. 39).

II / *Les « caractéristiques distinctives de situation » de Catford.* — Ce que nous proposons revient en fait à la façon de procéder prônée il y a quelque temps par un spécialiste de la théorie de la traduction, fonctionnaliste de formation, Catford. S'interrogeant, dans « La traduction et l'enseignement des langues » (1967), sur les conditions de ce qu'il appelle l' « équivalence de traduction », Catford en arrive à cette idée que l' « équivalence de traduction ne dépend pas de l'identité de signification linguistique des éléments de départ et d'arrivée, mais qu'elle dépend de la mesure dans laquelle ils peuvent être rapprochés des mêmes caractéristiques de situation » (p. 135). Il rejoint par là l'une des conclusions de Mounin dans sa magistrale étude sur *Les problèmes théoriques de la traduction* (1963) : « On peut même penser que la notion bloomfieldienne de *situation* reste la notion clé qui permet et permettra toujours plus, pour une paire de langues données, d'analyser les situations non linguistiques communes, dont la traduction ne présente pas de difficultés, et d'identifier scientifiquement les situations non linguistiques non communes » (p. 269). Ce qui nous paraît intéressant dans l'article de Catford, c'est qu'il développe en détail un exemple à l'appui de sa thèse; cet exemple porte sur la traduction en anglais d'une phrase russe. Grâce à la comparaison des deux phrases, il en arrive ainsi à bien mettre en lumière des traits situationnels pertinents, qu'il appelle « caractéristiques distinctives de situation », propres à chacun des énoncés.

Soit la phrase *ja napisala pis'mo*, prononcée par une Russe disant qu'elle a écrit une lettre, et traduite en anglais par *I wrote a letter*. Une description complète de la situation, fait observer Catford, serait très complexe : description détaillée de la femme, âge, apparence, rapports avec autrui, date, heure, endroit, entourage, etc. C'est ce qui correspond à ce que nous avons appelé antérieurement la désignation ou le référent. Cependant, précise l'auteur, du point de vue linguistique, seules quelques caractéristiques (ou traits, dirions-nous) de la situation sont pertinentes : « Je veux dire qu'un très petit nombre seulement des caractéristiques de la situation sont *distinctives* en ce sens qu'elles l'incitent à choisir telle ou telle forme linguistique et nulle autre » (p. 136). Les voici :

1. Le fait que l'auteur de la lettre est une femme entraîne le choix de *ja* et l'addition de *-a* dans *napisala*.
2. Le fait que l'action est terminée entraîne le choix de *napisala* (plutôt que de l'imperfectif *pisala*, par exemple).
3. Le fait qu'il s'agit d'une lettre entraîne le choix de *pis'mo* (plutôt que de *knigu* « livre », par exemple).
4. Le fait qu'il ne s'agit que d'une lettre entraîne le choix du singulier *pis'mo* (plutôt que du pluriel *pis'ma*).

En anglais, les choix pertinents sont tantôt différents, tantôt les mêmes. Par exemple, le sexe de l'auteur *(I)* et le fait que l'action soit terminée *(wrote)* sont des faits non pertinents. Par contre, le fait qu'il s'agit d'une lettre non identifiée est pertinent (*a* plutôt que *the*). Catford réunit alors dans un diagramme (p. 137), que nous nous permettons de modifier légèrement afin de mieux l'expliciter, les rapports dont il vient d'être question :

Russe	*Caractéristiques distinctives de situation*			*Anglais*
	pour le russe seulement	pour le russe et pour l'anglais	pour l'anglais seulement	
ja	femme	auteur		I
		action (écrire)		
		passé		wrote
napisala	(passé) terminé			
		pas plus d'un		
			lettre non identifiée	a
pis'mo		objet (lettre)		letter

Il est intéressant de constater ici la convergence des vues de Catford avec celles de Jakobson. Selon ce dernier, en effet, pour pouvoir traduire correctement en russe la phrase anglaise *I hired a worker*, un Russe a besoin de renseignements supplémentaires : l'ouvrier est-il un homme ou une femme (car il doit choisir entre un nom masculin ou féminin) ? et l'action a-t-elle été, ou non, accomplie (car il doit choisir entre un aspect complétif ou non complétif du verbe) ? (1963, p. 83).

Cette procédure appelle quantité de remarques. Nous nous contenterons cependant de ne relever que les trois suivantes. Mentionnons tout d'abord qu'il y a un rapprochement à faire ici entre la notion de situation et celle, plus récemment en vogue, de présupposition. On ne saurait cependant donner une définition générale du phénomène de la présupposition. Mieux vaudrait, semble-t-il, se placer sous différents points de vue : du point de vue logique, du point de vue des conditions d'emploi, et du point de vue des relations intersubjectives dans le discours, c'est-à-dire de ce que plusieurs appellent, à la suite de Morris, la « pragmatique » (d'après Ducrot et Todorov, 1972, p. 347). Toutefois, quel que soit l'angle sous lequel on se place, il reste que la présupposition, à notre avis, se présente toujours comme un cas particulier de la notion plus générale de situation. Elle n'est qu'un type particulier de la situation extra-linguistique dans laquelle se produit le discours. Par exemple, suivant la distinction de Coseriu entre quatre types d'environnements *(entornos)*, la présupposition se situerait quelque part parmi les sous-titres de ce qu'il appelle le contexte extra-verbal, ce contexte n'étant lui-même qu'une subdivision du troisième type d'environnement : le contexte (*c* 1955-1956, 1962, pp. 308-319). En nous référant à notre propre typologie des situations, établie dans notre ouvrage de 1973, la présupposition ne recouvrirait, là encore, qu'une partie d'un type particulier de situation, la situation que nous avons qualifiée de « non physique » (pp. 35-38). Ce qui caractérise les études actuelles sur la présupposition, c'est qu'elles cherchent du côté de la logique les fondements scientifiques d'une notion traitée jusqu'à maintenant de façon empirique. C'est pourquoi on ne saurait se désintéresser de ces travaux, en ne perdant toutefois pas de vue qu'il ne s'agit que d'un aspect particulier d'un problème plus vaste, sur lequel nous avons plutôt voulu attirer l'attention. Quoi qu'il en soit, il reste que, pour l'instant, en posant d'une manière différente de la tradition le problème de l'établissement des traits pertinents situationnels, s'ouvrent de nouvelles avenues d'apparence prometteuse.

Ensuite, ce type d'analyse n'est pas sans rappeler les propos pénétrants de S. Hattori et de Cassirer sur les découpages particuliers de la réalité opérés par deux langues différentes : « Il est tout à fait évident, écrit

Hattori, que ni une traduction avec un mot étranger synonyme, ni un dessin ne sont suffisants pour la description du sémème d'un mot. Même si nous voyons les choses que le mot dénote, nous ne connaissons pas les traits de ces choses auxquelles les indigènes ont l'habitude d'accorder leur attention » (1956, p. 210; passage cité et traduit par Mounin, 1963, p. 180, n. 3). Concrètement, poursuit-il, cela peut être démontré de la manière suivante : lorsqu'un Japonais dit : *C'est un puits profond*, il se réfère à l'importance d'un volume creux et vide; lorsqu'un Mongol émet le même énoncé, c'est à la partie creuse remplie d'eau qu'il se réfère. Quant à Cassirer, qui se réclame explicitement de Humboldt sur cette question, il fait observer que les termes servant à désigner la lune, en grec et en latin, n'expriment pas une même intention. Le terme grec *(men)* désigne la fonction de la lune, qui consiste à « mesurer » le temps, alors que le terme latin *(luna, luc-na)* désigne l'éclat ou la luminosité de la lune. Il y a là une convergence de résultats qu'il importait de souligner.

Enfin, on ne saurait passer sous silence le postulat sous-jacent à la procédure : il existe une correspondance biunivoque entre les traits de la situation et les éléments de l'énoncé correspondant.

Conclusion

Nous avons écrit au tout début de notre premier chapitre que le dynamisme d'un courant de pensée provenait en grande partie d'une « exploration simultanée de voies de recherche différentes ». Le moins que l'on puisse dire, au terme de notre survol, est que la sémantique fonctionnelle ne manque pas de dynamisme. Pour conclure, nous voudrions maintenant laisser entrevoir quelques possibilités de complémentarité des grandes orientations présentées au cours de notre ouvrage. C'est pourquoi nous allons esquisser quelques rapprochements entre les conceptions de Coseriu, de Granger, de Martinet et de Prieto. Pour cela nous allons examiner les conceptions de ces auteurs suivant deux points de vue : celui de l'objet de la sémantique, et celui du modèle dont la sémantique devrait s'inspirer.

Du point de vue de l'objet de la sémantique, une coupure assez nette doit être faite entre Coseriu, Granger et Martinet d'un côté, et Prieto de l'autre. Les trois premiers font porter leurs efforts sur ce que l'on appelle communément la sémantique du mot; Prieto s'intéresse d'abord et avant tout à la sémantique de la phrase. Il est cependant à noter que dans ses premiers écrits, notamment dans ses articles de 1954, 1956 et 1958, Prieto fait porter la très grande majorité de ses exemples d'analyse sémantique sur des monèmes. Puis, après quelques hésitations entre les deux types d'analyse (le mot ou la phrase), il opte tout à coup dans « D'une asymétrie entre le plan de l'expression et le plan du contenu de la langue» (1957-1958, reproduit dans 1975 *b*) pour le niveau de l'énoncé. A partir de cette date, toutes les publications de Prieto ne portent que sur le niveau de la phrase, ou « acte de parole simple ». Par là, il se distingue de Coseriu, de Granger et de Martinet.

Toutefois, cela ne signifie pas pour autant qu'il y ait incompatibilité entre les diverses conceptions de ces auteurs et celle de Prieto. Bien au contraire. Il y aurait même lieu de s'étonner d'une absence de convergence des résultats. Cependant, comme l'analyse sémantique du mot, tout comme celle de la phrase, n'en est pour ainsi dire qu'au stade des premiers balbutiements, il serait prématuré de tenter une intégration des résultats de ces deux ordres de recherche. C'est pourquoi nous nous contenterons de faire observer que, même dans leur état actuel, d'une part, l'analyse en points de vue de Granger et, d'autre part, l'analyse en traits de sens de Coseriu et de Martinet ne vont pas à l'encontre de l'approche prônée par Prieto. En effet, il n'est pas impensable que la notion de points de vue, propre à Granger, puisse se substituer à celle de dimension (ou aspect contrastif) d'un trait, telle que conçue par Prieto (1964, p. 76, et 1975 *b*, p. 25). De la même manière, l'analyse en traits de sens cadre bien, comme nous l'avons déjà laissé entrevoir au cours du cinquième chapitre, avec l'aspect oppositionnel d'un trait, dans la perspective de l'analyse noologique de Prieto. Comme il y a, *a priori*, autant de raisons de privilégier une approche plutôt qu'une autre, nous croyons que, dans la conjoncture actuelle, les recherches sémantiques portant sur le mot et celles portant sur la phrase doivent continuer à être menées en parallèle.

D'un autre point de vue, celui du modèle sur lequel devrait s'aligner la recherche sémantique, les quatre auteurs peuvent être regroupés différemment : d'un côté, Coseriu, Martinet et Prieto, et de l'autre, Granger. Les trois premiers s'entendent en effet pour prendre la phonologie comme modèle à imiter dans la recherche sémantique. Bien sûr, on note des divergences entre eux, en particulier sur la question de l'isomorphisme des deux plans de la substance de la forme et de la substance du contenu. Toutefois, il reste qu'en dépit de cela ce sont toujours les procédures de la phonologie structurale classique qui sont transposées dans le domaine sémantique. Contrairement à cette pratique, Granger de son côté puise davantage son inspiration dans le domaine anthropologique que phonologique. Comme chacun sait, c'est en empruntant à la phonologie, d'inspiration pragoise, les procédures qui lui ont assuré un statut scientifique que C. Lévi-Strauss a été amené à élaborer une anthropologie du type structural. Or, ironie du sort, c'est maintenant au tour de la sémantique, telle que prônée par Granger à tout le moins, de chercher à s'alimenter aux sources de l'anthropologie structurale, en s'inspirant du concept de « la structure feuilletée du mythe ». Il s'agit en quelque sorte de transposer dans le domaine des significations linguistiques l'idée de la « multidimensionnalité » d'un phénomène (en l'occurrence, les mythes), sur laquelle Lévi-Strauss a déjà attiré l'attention à quelques reprises, notamment dans son *Anthropologie structurale* (1958, chap. V) et dans *Le Cru et le Cuit* : « La structure feuilletée du mythe... permet de voir en lui une matrice de significations rangées en lignes et en colonnes, mais où, de quelque façon qu'on lise, chaque plan renvoie toujours à un autre plan » (*Le Cru et le Cuit*, 1964, p. 346).

Plutôt que de voir dans ces deux modèles des approches divergentes, nous croyons qu'il vaut mieux les considérer comme des perspectives complémentaires. Il est possible que pour tous les domaines de la signification analysables en traits de sens les procédures empruntées de la phonologie soient tout à fait efficaces. Par contre, là où s'avère impossible la décomposition d'unités en éléments plus petits, il n'est pas impensable qu'il faille, suivant la suggestion de Granger, s'en remettre plutôt à un modèle ayant fait ses preuves dans l'analyse des faits humains de signification. Il y a là, en tout cas, une hypothèse de travail certainement non négligeable.

En définitive, qu'il s'agisse de l'objet de la sémantique ou du modèle dont cette science pourrait s'inspirer, les grandes conceptions examinées dans notre ouvrage, qui partent toutes de présupposés communs, paraissent davantage complémentaires qu'opposées, en dépit de quelques points de divergence sur certaines questions. C'est à Mounin que revient le mérite d'avoir toujours agi comme le véritable « catalyseur » de toutes ces tendances. C'est en cela que la sémantique fonctionnelle apparaît aujourd'hui comme l'un des plus dynamiques courants de la recherche sémantique contemporaine.

OUVRAGES
ET ARTICLES CONSULTÉS*

Signification des sigles utilisés :

BLLL   *Bulletin de la section de Linguistique de la Faculté des Lettres de Lausanne.*

BSLP   *Bulletin de la Société de Linguistique de Paris.*

CFdeS   *Cahiers Ferdinand de Saussure.*

CLex   *Cahiers de Lexicologie.*

CLOS   *Cahiers de Linguistique, d'Orientalisme et de Slavistique.*

CLUQ   *Cahiers de Linguistique de l'Université du Québec à Montréal.*

ELA   *Etudes de Linguistique appliquée.*

FL   *Foundations of Language.*

FM   *Le Français moderne.*

IJAL   *International Journal of American Linguistics.*

JL   *Journal of Linguistics.*

JPNP   *Journal de Psychologie normale et pathologique.*

LF   *Langue française.*

RRL   *Revue roumaine de Linguistique.*

TM   *Les Temps modernes.*

TRALILI   *Travaux de Linguistique et de Littérature de l'Université de Strasbourg.*

ANTAL, L., 1964, *Content, Meaning, and Understanding*, The Hague, Mouton, 63 p.

APOSTEL, L., 1976, Epistémologie de la linguistique, dans *Logique et connaissance scientifique*, sous la direction de Jean PIAGET, Encyclopédie de la Pléiade, Paris, Gallimard, pp. 1056-1096.

APRESJAN, J., c 1962, 1966, Analyse distributionnelle des significations et champs sémantiques structurés, *Langages*, 1, pp. 44-74.

AUSTIN, J. L., c 1962, 1970, *Quand dire, c'est faire*, Introduction, traduction et commentaire par Gilles LANE, Paris, Seuil, 187 p.

* La première date, précédée d'un petit *c*, indique l'année du copyright, et la deuxième date indique l'année de l'édition utilisée, à laquelle renvoient les pages données. Lorsqu'une seule date est donnée, cela veut dire que l'édition utilisée est la première de l'ouvrage.

BALDINGER, K., 1966, Sémantique et structure conceptuelle (Le concept « se souvenir »), *CLex*, VIII, 1, pp. 3-46.

— 1970, *Teoria semántica ; hacia una semántica moderna*, Madrid, Ediciones Alcalá, 278 p.

BALLY, C., 1940, L'arbitraire du signe. Valeur et signification, *FM*, 8, pp. 193-206.

BASILIUS, H., 1952, Neo-humboldtian ethnolinguistics, *Word*, VIII, 2, pp. 95-105.

BENDIX, E. H., c 1966, 1970, Analyse componentielle du vocabulaire général (extraits traduits), *Langages*, 20, pp. 101-128.

BENVENISTE, E., c 1954, 1966, Problèmes sémantiques de la reconstruction, dans *Problèmes de linguistique générale*, Paris, Gallimard, pp. 289-307.

BIDU-VRĂNCEANU, Angela, 1972, Modalités d'analyse structurale du lexique : les noms de parenté, *RRL*, XVII, 5, pp. 441-454.

— 1974 a, Contribution à l'analyse structurale du lexique. Le lexique de l'habitation en roumain, *RRL*, XIX, 4, pp. 321-343.

— 1974 b, Modalités d'analyse structurale du lexique : le système des dénominations des animaux domestiques, *RRL*, XIX, 6, pp. 525-546.

— 1976, *Systématique des noms de couleurs. Recherche de méthode en sémantique structurale*, România, Editura Academiei, 244 p.

BLANCHÉ, R., 1967, *L'axiomatique*, Paris, PUF, 102 p.

— 1970, *La logique et son histoire : d'Aristote à Russell*, Paris, Colin, 366 p.

BLOOMFIELD, L., c 1933, 1970, *Le langage*, traduit de l'américain par Janick GAZIO, Avant-propos de Frédéric FRANÇOIS, Paris, Payot, XXIX-525 p.

BOLINGER, D., 1965, The Atomization of Meaning, *Language*, XLI, 4, pp. 555-573.

BORGSTRÖM, C. H., 1957, A Problem of Method in Linguistic Science : the Meaning of its Technical Terms, *Norsk Tidsskrift for Sprogvidenskap*, XIV, pp. 191-228.

BOUVERESSE, J., 1971, Langage ordinaire et philosophie, *Langages*, 21, pp. 35-70.

BRÉAL, M., c 1897, 1911, *Essai de sémantique (Science des significations)*, Paris, Hachette, 372 p.

BRECKLE, H. E., c 1972, 1974, *Sémantique*, traduit de l'allemand et adapté par Pierre CADIOT et Yvon GIRARD, Paris, Colin, 110 p.

BUYSSENS, E., 1960, Le structuralisme et l'arbitraire du signe, *Studii si cercetări Linguistici*, 3, pp. 403-416.

— 1968, Le langage et la logique. Le langage et la pensée, dans *Le langage*, sous la direction d'A. MARTINET, Encyclopédie de la Pléiade, Paris, Gallimard, pp. 76-90.

CANTINEAU, J., 1952, Les oppositions significatives, *CFdeS*, 10, pp. 11-40.

CASSIRER, E., c 1933, 1969, Le langage et la construction du monde des objets, dans *Essais sur le langage*, Paris, Editions de Minuit, pp. 39-68.

CATFORD, J. C., 1965, *A Linguistic Theory of Translation. An Essay in Applied Linguistics*, Londres, Oxford University Press, VIII-103 p.

CATFORD, J. C., 1967, La traduction et l'enseignement des langues, dans *Les théories linguistiques et leurs applications*, Conseil de la Coopération culturelle du Conseil de l'Europe, AIDELA, pp. 123-152.

CHARRON, G., 1972, *Du langage : A. Martinet et M. Merleau-Ponty*, Ottawa, Editions de l'Université d'Ottawa, 187 p.

— et C. GERMAIN, 1975, Vers une sémantique structurale, *Actes du IIe Colloque international de Linguistique fonctionnelle*, Clermont-Ferrand, pp. 153-163.

— 1976, Linguistique, philosophie du langage et épistémologie, *Philosophiques*, octobre, pp. 261-278.

— 1977, L'objectivité en linguistique et dans les sciences de l'homme : à propos de la thèse de Luis J. Prieto, *La Linguistique*, XIII, 2, pp. 153-159.

— et C. GERMAIN, 1979, La distinction entre sémantique et axiologie : quelques implications, dans *Linguistique fonctionnelle : débats et perspectives*, présentés par M. MAHMOUDIAN, Paris, PUF, pp. 261-270.

— et C. GERMAIN, Analyse en traits de sens ou analyse noologique ?, *Actes du IIIe Colloque international de Linguistique fonctionnelle*, Saint-Flour.

— et C. GERMAIN, 1981, Réflexions épistémologiques et méthodologiques sur l'axiologie, *La Linguistique*, XVII, 2.

CLARK, E. V., 1973, What's in a Word ? On the Child's Acquisition of Semantics in the First Language, dans T. E. MOORE, Ed., *Cognitive Development and the Acquisition of Language*, New York and London, Academic Press, pp. 65-110.

COLIN, J.-P., 1969, A propos de « Structures étymologiques du lexique français » de Pierre Guiraud, *LF*, 4, pp. 120-123.

CORNEILLE, J.-P., 1976, *La linguistique structurale : sa portée, ses limites*, Paris, Larousse, 256 p.

COSERIU, E., c 1955-1956, 1962, Determinación y entorno. Dos problemas de una lingüística del hablar, dans *Teoría del lenguaje y lingüística general*, Madrid, Editorial Gredos, pp. 282-323.

— 1967, Structure lexicale et enseignement du vocabulaire, dans *Les théories linguistiques et leurs applications*, Conseil de la Coopération culturelle du Conseil de l'Europe, AIDELA, pp. 9-51 (suivi des « Interventions préparées sur le rapport de M. Coseriu », pp. 51-87).

— 1968, Les structures lexématiques, dans *Zeitschrift für Französische Sprache und Literatur (Probleme der Semantik)*, publié par W. Theodor ELWERT, Wiesbaden, Franz Steiner, pp. 3-17.

— et H. GECKELER, 1974, Linguistics and Semantics. Linguistic, especially Functional, Semantics, dans Th. A. SEBEOK, réd., *Current Trends in Linguistics*, vol. 12 : *Linguistics and Adjacent Arts and Sciences*, The Hague-Paris, Mouton, pp. 103-171.

— 1975, Vers une typologie des champs lexicaux, *CLex*, XXVII, 2, pp. 30-51.

— 1976, L'étude fonctionnelle du vocabulaire : précis de lexématique, *CLex*, XXIX, 2, pp. 5-23.

DE MAURO, Tullio, c 1966, 1969, *Une introduction à la sémantique*, traduit de l'italien par Louis-Jean CALVET, Paris, Payot, 222 p.

DE MAURO, Tullio, 1967, *Ludwig Wittgenstein. His place in the Development of Semantics*, Dordrecht, D. Reidel, ix-62 p.

DUBOIS, J., 1960, Les notions d'unité sémantique complexe et de neutralisation dans le lexique, *CLex*, 2, pp. 62-66.

— 1962 *a*, *Le vocabulaire politique et social en France de 1869 à 1872*, Paris, Larousse, xxix-460 p.

— 1962 *b*, Recherches lexicographiques : esquisse d'un dictionnaire structural, *ELA*, 1, pp. 43-48.

— 1964, Distribution, ensemble et marque dans le lexique, *CLex*, IV, 1, pp. 5-16.

— et L. IRIGARAY, 1966, Les structures linguistiques de la parenté, *CLex*, VIII, 1, pp. 47-69.

DUBOIS, J. et C., 1971, *Introduction à la lexicographie : le dictionnaire*, Paris, Larousse, 217 p.

DUBOIS, J., *et al.*, 1973, *Dictionnaire de linguistique*, Paris, Larousse, xL-516 p.

DUCHÁČEK, O., 1959, Champ conceptuel de la beauté en français moderne, *Vox romanica*, 18, pp. 297-323 ; version remaniée parue sous le titre « Joli-Beau », dans le *FM*, 29, 1961, pp. 263-284.

— 1960, Les champs linguistiques, *Philologica Pragensia*, III, pp. 22-35.

— 1961, Au problème de la migration des mots d'un champ conceptuel à l'autre, *Lingua*, X, pp. 57-78.

— 1967, *Précis de sémantique française*, Brno, Universita J. E. Purkyne, 262 p.

— 1968, Différents types de champs, dans *Zeitschrift für Französische Sprache und Literatur (Probleme der Semantik)*, publié par W. Theodor ELWERT, Wiesbaden, Franz Steiner, pp. 25-36.

— 1973, Sur le problème de l'analyse componentielle, *TRALILI*, XI, 1, pp. 25-36.

— 1976, Sur le problème de la structure du lexique et de son évolution, *CLex*, XXVIII, 1, pp. 89-98.

DUCROT, O., 1967, Chronique linguistique, *L'Homme*, VII, 2, pp. 109-122.

— 1966, Logique et linguistique, *Langages*, 2, pp. 3-30.

— 1972 *a*, *Dire et ne pas dire ; principes de sémantique linguistique*, Paris, Hermann, 283 p.

— 1972 *b*, De Saussure à la philosophie du langage, dans John R. SEARLE, *Les actes de langage*, Paris, Hermann, pp. 7-34.

— 1972 *c*, D'un mauvais usage de la logique, dans *De la théorie linguistique à l'enseignement de la langue*, publié sous la direction de Jeanne MARTINET, Paris, PUF, pp. 137-151.

— et T. TODOROV, 1972, *Dictionnaire encyclopédique des sciences du langage*, Paris, Seuil, 470 p.

— 1973 *a*, *La preuve et le dire. Langage et logique*, Paris, Mame, 290 p.

— 1973 *b*, La description sémantique en linguistique, *JPNP*, 1-2, pp. 115-133.

ENGLER, R., 1973, Rôle et place d'une sémantique dans une linguistique saussurienne, *CFdeS*, 28, pp. 35-52.

FIRTH, J. R., c 1957, 1961, Modes of Meaning, dans *Papers in Linguistics, 1934-1951*, Londres, Oxford University Press, pp. 190-215.

FRANÇOIS, F. et Denise, 1967, L'ambiguïté linguistique, *Word*, XXIII, 1-2-3, pp. 150-179.

FRANÇOIS, F., 1968 *a*, Le langage et ses fonctions, dans *Le langage*, sous la direction d'A. MARTINET, Encyclopédie de la Pléiade, Paris, Gallimard, pp. 3-19.

— 1968 *b*, Caractères généraux du langage, dans *Le langage*, sous la direction d'A. MARTINET, Encyclopédie de la Pléiade, Paris, Gallimard, pp. 20-45.

— 1968 *c*, La description linguistique, dans *Le langage*, sous la direction d'A. MARTINET, Encyclopédie de la Pléiade, Paris, Gallimard, pp. 171-282.

— 1973, Coordination, négation et types d'oppositions significatives, *JPNP*, 1-2, pp. 31-55.

— 1979, Signifié, référent, expérience, dans *Linguistique fonctionnelle : débats et perspectives*, présentés par Mortéza MAHMOUDIAN, Paris, PUF, pp. 224-259.

FRIEDRICH, P., 1969, On the meaning of the Tarascan suffixes of space, *IJAL*, XXXV, 4, Part II, Memoir 23, pp. 1-48.

GALISSON, R., 1970, Analyse sémique, actualisation sémique et approche du sens en méthodologie, *LF*, 8, pp. 107-116.

— 1978, *Recherches de lexicologie descriptive : la banalisation lexicale*, Paris, Nathan, 432 p.

GARVIN, Paul L., 1979, Une épistémologie empiriste pour la linguistique, *La Linguistique*, XV, 1, pp. 65-89.

GAUGER, H.-M., 1973, Les difficultés de la structuration sémantique du lexique, *Actes du IIᵉ Colloque international de Linguistique et de Traduction, Meta*, XVIII, 1-2, pp. 145-160.

GECKELER, H., c 1971, 1976, *Semántica estructural y teoría del campo léxico*, versión española de Marcos Martínez HERNÁNDEZ, revisada por el autor, Biblioteca Románica Hispánica, Madrid, Editorial Gredos, 389 p.

GERMAIN, C., 1972, Origine et évolution de la notion de « situation » de l'Ecole linguistique de Londres : de Malinowski à Lyons, *La Linguistique*, VIII, 2, pp. 117-136.

— 1973, *La notion de situation en linguistique*, Ottawa, Editions de l'Université d'Ottawa, VIII-168 p.

— et G. CHARRON, 1975, Vers une sémantique structurale, *Actes du IIᵉ Colloque international de Linguistique fonctionnelle*, Clermont-Ferrand, pp. 153-163.

— et G. CHARRON, La distinction entre sémantique et axiologie : quelques implications, dans *Linguistique fonctionnelle : débats et perspectives*, présentés par M. MAHMOUDIAN, Paris, PUF, 1979, pp. 261-270.

— et G. CHARRON, Analyse en traits de sens ou analyse noologique?, *Actes du IIIᵉ Colloque international de Linguistique fonctionnelle*, Saint-Flour.

— et G. CHARRON, 1981, Réflexions épistémologiques et méthodologiques sur l'axiologie, *La Linguistique*, XVII, 2.

GODEL, R., c 1957, 1969, *Les sources manuscrites du Cours de Linguistique générale de F. de Saussure*, Genève, Droz, 283 p.

GOODENOUGH, W. H., 1956, Componential Analysis and the Study of Meaning, *Language*, XXXII, 1, pp. 195-216.

GOUGENHEIM, G., 1967, Trois principes d'organisation du vocabulaire, intervention préparée sur le rapport de M. COSERIU, dans *Les théories linguistiques et leurs applications*, Conseil de la Coopération culturelle du Conseil de l'Europe, AIDELA, pp. 61-67.

GRANGER, G.-G., 1968, *Essai d'une philosophie du style*, Paris, Colin, 312 p.

— 1976, *La théorie aristotélicienne de la science*, Aubier, Editions Montaigne, 382 p.

GREIMAS, A. J., 1966, *Sémantique structurale : recherche de méthode*, Paris, Larousse, 262 p.

GUIRAUD, P., c 1955, 1972, *La sémantique*, 7e éd. refondue, coll. « Que sais-je ? », n° 655, Paris, PUF, 128 p.

— 1967, *Structures étymologiques du lexique français*, Paris, Larousse, 211 p.

— 1968, Le champ morpho-sémantique du mot *tromper*, *BSLP*, LXIII, 1, pp. 96-109.

— 1969, Distribution et transformation de la notion de « coup », *LF*, 4, pp. 67-74.

HAGÈGE, C., 1976, *La grammaire générative. Réflexions critiques*, Paris, PUF, 244 p.

HALLIDAY, M. A. K., 1976, La sémantique et la syntaxe dans une grammaire fonctionnelle (vers une sémantique sociologique), dans *Sémantique et logique*, Etudes sémantiques recueillies et présentées par Bernard POTTIER, ouvrage publié avec le concours du Centre national de la Recherche scientifique, Paris, J.-P. Delarge, pp. 139-165.

HATTORI, S., 1956, The Analysis of Meaning, dans *For Roman Jakobson*, vol. I, The Hague, Mouton, pp. 207-212.

— 1967, The Sense of Sentence and the Meaning of Utterance, dans *To Honor Roman Jakobson*, The Hague - Paris, Mouton, pp. 850-854.

— 1975, The Analysis of the Sememe into Its Ultimate Sememic Features, *RRL*, XX, 5, pp. 501-504.

HAUGEN, E., 1957, The Semantic of Icelandic Orientation, *Word*, XIII, 3, pp. 447-459.

HAZAEL-MASSIEUX, Marie-Christine, 1975, Théorie situationnelle et étude de contexte, *CLOS*, 5-6, en hommage à Georges Mounin, pp. 199-209.

HEGER, K., 1965, Les bases méthodologiques de l'onomasiologie et du classement par concepts, *TRALILI*, III, 1, pp. 7-32.

— 1968, Structures immanentes et structures conceptuelles, dans *Zeitschrift für Französische Sprache und Literatur (Probleme der Semantik)*, publié par W. Theodor ELWERT, Wiesbaden, Franz Steiner, pp. 17-24.

— 1969 a, L'analyse sémantique du signe linguistique, *LF*, 4, pp. 44-66.

— 1969 b, La sémantique et la dichotomie de langue et parole. Nouvelles contributions à la discussion sur les bases théoriques de la sémasiologie et de l'onomasiologie, *TRALILI*, VII, 1, pp. 47-111.

— 1974, *Teoría semántica : hacia una semántica moderna*, II, Madrid, Ediciones Alcalá, XII-223 p.

HERVEY, S. G. J., 1975, Semantics in Axiomatic Functionalist Linguistics, *Actes du IIe Colloque international de Linguistique fonctionnelle*, Clermont-Ferrand, pp. 147-152.

HIRSCHBERG, Mme, 1967, « Intervention » préparée sur le rapport de M. Coseriu, dans *Les théories linguistiques et leurs applications*, Conseil de la Coopération culturelle du Conseil de l'Europe, AIDELA, pp. 67-69.

HJELMSLEV, L., c 1943, 1968, *Prolégomènes à une théorie du langage*, traduit de l'anglais par Anne-Marie LÉONARD, Paris, Editions de Minuit, 229 p.

— c 1957, 1971, Dans quelle mesure les significations des mots peuvent-elles être considérées comme formant une structure ?, dans *Reports for the Eighth International Congress of Linguists*, Oslo; repris sous le titre : Pour une sémantique structurale, dans *Essais linguistiques*, Paris, Editions de Minuit, pp. 105-121.

HOLEC, H., 1974, *Structures lexicales et enseignement du vocabulaire*, The Hague - Paris, Mouton, 109 p.

JAKOBSON, R., 1963, *Essais de linguistique générale*, Paris, Editions de Minuit, 260 p.

JOLIVET, R., 1976, Rigueur et laxité de structure en syntaxe : approche expérimentale, *Etudes de lettres*, série III, IX, 1, Faculté des Lettres de l'Université de Lausanne, pp. 81-119.

KIEFER, F., 1974, *Essais de sémantique générale*, traduit par Laurent DAVON-BOILEAU, Paris, Mame, 163 p.

KITTREDGE, R., 1973, Une théorie sémantique sans trop faire appel à l'intuition, *CLUQ*, 2, pp. 147-156.

LEHRER, Adrienne, 1969, Semantic Cuisine, *JL*, V, 1, pp. 39-55.

— 1974, *Semantic Fields and Lexical Structure*, Amsterdam-London, North-Holland Publishing Company, 225 p.

LEPSCHY, G. C., 1964, compte rendu de *A Functional View of Language* d'André MARTINET, dans *Linguistics*, 5, pp. 79-92.

LERAT, P., 1972, Le champ linguistique des verbes « savoir » et « connaître », *CLex*, XX, 1, pp. 53-63.

LOUNSBURY, F. G., 1956, A Semantic Analysis of the Pawnee Kinship Usage, *Language*, XXXII, 1, pp. 158-194.

— c 1964, 1966, Analyse structurale des termes de parenté, *Langages*, 1, pp. 75-99.

LYONS, J., 1963, *Structural Semantics : An Analysis of Part of the Vocabulary of Plato*, Oxford, Basil Blackwell, 237 p.

— c 1968, 1970, *Linguistique générale. Introduction à la linguistique théorique*, traduction de F. DUBOIS-CHARLIER et D. ROBINSON, Paris, Larousse, 384 p.

— 1977, *Semantics*, Cambridge, Cambridge University Press, 2 vol., XIV-897 p.

MAHMOUDIAN, M., 1975, A propos de syntagme et synthème, *La Linguistique*, XI, 1, pp. 51-73.

MAHMOUDIAN, M., 1976 a, *Pour enseigner le français. Présentation fonctionnelle de la langue*, publié sous la direction de Mortéza MAHMOUDIAN, Paris, PUF, XXVI-428 p.

— 1976 b, Convergences et divergences dans les théories linguistiques, *Etudes de lettres*, série III, IX, 1, Faculté des Lettres de l'Université de Lausanne, pp. 23-36.

— 1976 c, Rigueur et laxité de structure en syntaxe : aspects théoriques, *Etudes de lettres*, série III, IX, 1, Faculté des Lettres de l'Université de Lausanne, pp. 65-80.

— 1976 d, *Hypothèse et vérification en linguistique*, communication présentée lors du IIIe Colloque international de Linguistique fonctionnelle, Saint-Flour, 14 p.

— 1977, Structures rigoureuses et structures lâches : résultats des enquêtes sur l'adjectif (recherche en collaboration), *BLLL*, 1, pp. 1-106.

MALINOWSKI, B., c 1923, 1952, *The Problem of Meaning in Primitive Languages*, supplément à C. K. OGDEN et I. A. RICHARDS, *The Meaning of Meaning*, London, Routledge & Kegan Paul Ltd., pp. 296-336.

MALMBERG, B., 1966, *Les nouvelles tendances de la linguistique*, Paris, PUF, 343 p.

— 1968, Structures lexicales et systèmes sémantiques, *IRAL*, VI, 2, pp. 127-143; repris dans *Linguistique générale et romane*, 1973, The Hague - Paris, Mouton, pp. 110-121.

MARTIN, R., 1969, Analyse sémantique du mot peu, *LF*, 4, pp. 75-87.

MARTINET, A., c 1946, 1968, Au sujet des *Fondements de la théorie linguistique* de Louis Hjelmslev, Paris, Republications Paulet, pp. 19-42; article d'abord paru dans le *BSLP*, XLII, 1, pp. 19-42.

— 1957 a, Substance phonique et traits distinctifs, *BSLP*, 53, pp. 72-85; article, légèrement remanié, reproduit dans *La linguistique synchronique*, 1968, Paris, PUF, pp. 124-140.

— 1957 b, Arbitraire linguistique et double articulation, *CFdeS*, 15, pp. 105-116; article, légèrement remanié, reproduit dans *La linguistique synchronique*, 1968, Paris, PUF, pp. 21-35.

— 1965, Structure et langue, *Revue internationale de Philosophie*, XIX, 73-74, pp. 289-299.

— 1967, Connotations, poésie et culture, dans *To Honor Roman Jakobson*, The Hague - Paris, Mouton, pp. 1288-1294.

— 1968, *La linguistique synchronique*, Paris, PUF, 247 p.

— 1969, *La linguistique : guide alphabétique*, sous la direction d'A. MARTINET, Paris, Editions Denoël, 490 p.

— c 1970, 1974, *Eléments de linguistique générale*, Paris, Colin, 223 p.

— 1973 a, Pour une linguistique des langues, *FL*, X, 3, pp. 339-364.

— 1973 b, La pertinence, *JPNP*, 1-2, pp. 19-30.

— 1974, Homonymes et polysèmes, *La Linguistique*, X, 2, pp. 37-45.

— 1975 a, Sémantique et axiologie, *RRL*, XX, 5, pp. 539-542.

— 1975 b, Linguistique structurale, *Annuaire 1975-1976, Ecole pratique des Hautes Etudes*, 4e section, Paris, pp. 827-830.

MARTINET, A., 1976, What do speakers and hearers have semantically in common, *Folia linguistica*, XI, 4, pp. 29-35.

— 1977 *a*, Some Basic Principles of Functional Linguistics, *La Linguistique*, XIII, 1, pp. 7-14.

— 1977 *b*, L'axiologie, étude des valeurs signifiées, *Estudios ofrecidos a Emilio Alarcos Llorach*, I, Oviedo, pp. 157-163.

— 1977 *c*, Les fonctions grammaticales, *La Linguistique*, XIII, 2, pp. 3-14.

— 1977 *d*, La présentation des unités significatives, *Annuaire 1976-1977*, Ecole pratique des Hautes Etudes, 4e section, pp. 897-907.

— 1978, La linguistique peut-elle fonder la scientificité des sciences sociales ?, *Bulletin du GERSULP*, Strasbourg, fasc. 6, pp. 3-14.

MARTINET, Jeanne, 1973, *Clefs pour la sémiologie*, Paris, Seghers, 243 p.

MATORÉ, G., *c* 1953, 1973, *La méthode en lexicologie*, nouvelle édition refondue, Paris, Didier, XXXII-126 p.

MEILLET, A., *c* 1921, 1948 et 1951, *Linguistique historique et linguistique générale*, t. I, 1948, Paris, Champion, 335 p., et t. II, 1951, Paris, Klincksieck, 235 p.

MESCHONNIC, H., 1964, Essai sur le champ lexical du mot « idée », *CLex*, V, 2, pp. 57-68.

MILLER, R. L., 1968, *The Linguistic Relativity Principle and Humboldtian Ethnolinguistics*, The Hague, Mouton, 127 p.

MOUNIN, G., 1963, *Les problèmes théoriques de la traduction*, Paris, Gallimard, XII-297 p.

— 1965 *a*, La structuration du lexique de l'habitation, *CLex*, VI, 1, pp. 9-24; reproduit dans *Clefs pour la sémantique*, Paris, Seghers, pp. 103-129.

— 1965 *b*, La dénomination des animaux domestiques, *La Linguistique*, I, 1, pp. 31-54; reproduit dans *Clefs pour la sémantique*, Paris, Seghers, pp. 130-164.

— 1966, La notion de situation en linguistique et la poésie, *TM*, 247, pp. 1065-1084; repris dans *La communication poétique*, 1969, Paris, Gallimard, pp. 255-285.

— *c* 1968, 1971, *Clefs pour la linguistique*, Paris, Seghers, 187 p.

— 1969, compte rendu de L. J. PRIETO, Messages et signaux, dans *Lingua*, XXII, 4, pp. 384-389; reproduit dans *Introduction à la sémiologie*, 1970, Paris, Editions de Minuit, pp. 230-234.

— 1970, *Introduction à la sémiologie*, Paris, Editions de Minuit, 249 p.

— 1972 *a*, *Clefs pour la sémantique*, Paris, Seghers, 268 p.

— 1972 *b*, *La linguistique du XXe siècle*, Paris, PUF, 253 p.

— 1974 *a*, *Dictionnaire de la linguistique*, publié sous la direction de Georges MOUNIN, Paris, PUF, XXXIX-340 p.

— 1974 *b*, compte rendu de J.-L. FOSSAT, La formation du vocabulaire de la boucherie et de la charcuterie, étude de lexicologie historique et descriptive, dans *CLex*, XXIII, 2, pp. 121-123.

— 1975, *Linguistique et philosophie*, Paris, PUF, 216 p.

Mounin, G., Eléments d'une sémantique structurale et fonctionnelle : l'axiologie d'André Martinet, dans *Linguistique fonctionnelle : débats et perspectives*, présentés par M. Mahmoudian, Paris, puf, pp. 229-239.

Mulder, J. W. F., 1975, Linguistic theory, linguistic descriptions and speech-phenomena, *La Linguistique*, XI, 1, pp. 87-104.

— 1977, Postulats de la linguistique fonctionnelle axiomatique, *La Linguistique*, XIII, 1, pp. 15-46.

Muller, C., 1962, Polysémie et homonymie dans l'élaboration du lexique contemporain, *ELA*, 1, pp. 49-54.

Naess, A., 1952, Toward a theory of interpretation and preciseness, dans L. Linsky, *Semantics and the Philosophy of Language*, Urbana, Univ. of Illinois Press, pp. 220-241.

Nattiez, J.-J., 1973, De la sémiologie à la sémantique, *CLUQ*, 2, pp. 219-239.

Nida, E. A., 1975, *Componential Analysis of Meaning. An Introduction to Semantic Structures*, Paris - The Hague, Mouton, 272 p.

Ogden, C. K., et Richards, I. A., c 1923, 1952, *The Meaning of Meaning. A Study of the Influence of Language upon Thought and of the Science of Symbolism*, Londres, Routledge & Kegan Paul Ltd., xxii-363 p.

Öhman, Suzanne, 1953, Theories of the Linguistic Field, *Word*, IX, 2, pp. 123-134.

Paradis, M., 1974, Relativité linguistique et philosophie, dans *Collected Texts and Papers on Logic and Language*, edited by M. Mohaghehg and T. Izutzu, Montréal, McGill University, in collaboration with Tehran University, pp. 85-105.

Parret, H., 1976, Sémantique structurale et sémantique générative, dans *Sémantique et logique*, Etudes sémantiques recueillies et présentées par Bernard Pottier, ouvrage publié avec le concours du Centre national de la Recherche scientifique, Paris, J.-P. Delarge, pp. 85-108.

Pergnier, M., 1976, L'envers des mots, *ELA*, 24, pp. 92-126.

Perrot, J., 1958, The Structure of Meaning, discussion, dans *Proceedings of the Eighth International Congress of Linguists*, pp. 691-692.

— 1968, Le lexique, dans *Le langage*, sous la direction d'A. Martinet, Encyclopédie de la Pléiade, Paris, Gallimard, pp. 283-298.

Postal, P. M., 1966, compte rendu de *Elements of General Linguistics* d'A. Martinet, dans *FL*, II, 2, pp. 151-186.

Pottier, B., 1963, Recherches sur l'analyse sémantique en linguistique et en traduction mécanique, *Publications de la Faculté des Lettres et Sciences humaines de l'Université de Nancy*, Nancy, 38 p.

— 1967, Présentation de la linguistique. Fondements d'une théorie, *TRALILI*, V, 1, pp. 7-60.

— 1968, Champ sémantique, champ d'expérience et structure lexicale (synthèse), dans *Zeitschrift für Französische Sprache und Literatur (Probleme der Semantik)*, publié par W. Theodor Elwert, Wiesbaden, Franz Steiner, pp. 37-40.

POTTIER, B., 1973, *Le langage*, coll. « Les dictionnaires du savoir moderne », Paris, Centre d'Etude et de Promotion de la Lecture, 544 p.

— 1974, *Linguistique générale, théorie et description*, Paris, Klincksieck, 339 p.

PRIETO, L. J., 1964, *Principes de noologie*, La Haye, Mouton, 130 p.

— 1966, *Messages et signaux*, Paris, PUF, 169 p.

— 1972, La double pertinence sur le plan du contenu, *XIᵉ Congrès des Linguistiques*, Bologne et Florence, pp. 744-750.

— 1975 a, *Pertinence et pratique. Essai de sémiologie*, Paris, Editions de Minuit, 175 p.

— 1975 b, *Etudes de linguistique et de sémiologie générales*, Genève-Paris, Droz, 196 p.

RASTALL, Paul R., 1979, L'empirisme en linguistique, *La Linguistique*, XV, 2, pp. 107-120.

REICHLING, A., 1962, Meaning and Introspection, *Lingua*, XI, pp. 333-339.

REY, A., 1968, Valeur et limite d'une sémantique lexicale, *Information sur les sciences sociales*, VII, 4, pp. 121-133.

— 1970, *La lexicologie. Lectures*, Paris, Klincksieck, 323 p.

— 1976, *Théories du signe et du sens. Lectures*, II, Paris, Klincksieck, 408 p.

REY-DEBOVE, Josette, 1971, *Etude linguistique et sémiotique des dictionnaires français contemporains*, The Hague - Paris, Mouton, 329 p.

— 1973, Structures du lexique, *Actes du IIᵉ Colloque international de Linguistique et de Traduction, Meta*, XVIII, 1-2, pp. 53-60.

RODRIGUEZ ADRADOS, F., 1969, Estructura de vocabulario y estructura de la lengua, dans *Estudios de Lingüística general*, Barcelona, Planeta, pp. 27-60.

ROGGERO, J., 1977, Des rouges et des lueurs, *Sigma*, 2, Publication du Centre d'Etudes linguistiques, Université Paul-Valéry, Montpellier, pp. 147-170.

SÁNCHEZ DE ZAVALA, V., 1972, *Hacia una epistemología del lenguaje, Cuatro ensayos*, Madrid, Alianza Editorial, 258 p.

SÁNCHEZ RUIPÉREZ, M., 1954, *Estructura del sistema de aspectos y tiempos del verbo griego antiguo, Análisis functional sincrónico*, Salamanca, Colegio Trilingüe de la Universidad (del Consejo Superior de Investigaciones Científicas), IX-179 p.

SAUSSURE, F. de, c 1916, 1972, *Cours de Linguistique générale*, édition critique préparée par Tullio de MAURO, Paris, Payot, 510 p.

SCHAFF, A., c 1960, 1968, *Introduction à la sémantique*, traduit du polonais par Georges LISOWSKI, Paris, Anthropos, X-335 p.

SCHOGT, H. G., 1968, Quatre fois « enseignement », *Word*, XXIV, 1-2-3, pp. 433-445.

— 1976, *Sémantique synchronique : synonymie, homonymie, polysémie*, Toronto and Buffalo, University of Toronto Press, VIII-135 p.

SEARLE, J. R., c 1969, 1972, *Les actes de langage*, traduit de l'anglais, Paris, Hermann, pp. 35-261.

SIMONET, F., 1972, Note sur la possibilité d'une analyse linguistique du signifié, dans *Mélanges offerts à Aurélien Sauvageot pour son soixante-quinzième anniversaire*, Budapest, Akadémiai Kiado, pp. 263-270.

SOMMERFELT, A., 1967, Structures linguistiques et structures des groupes sociaux, dans *Problèmes du langage*, coll. « Diogène », Paris, Gallimard, pp. 191-196.

SØRENSEN, H. S., 1970, Meaning and Reference, dans A. J. GREIMAS *et al.*, eds, *Sign, Language, Culture*, The Hague - Paris, Mouton, pp. 67-80.

SPENCE, N. C. W., 1961, Linguistic Fields, Conceptual Systems and the *Weltbild, Transactions of the Philological Society*, pp. 87-106.

TODOROV, T., 1966, Recherches sémantiques, *Langages*, 1, pp. 5-43.

TRUJILLO, R., 1972, A propos du concept de forme du contenu, *CLex*, XX, 1, pp. 3-11.

TUTESCU, Mariana, 1975, *Précis de sémantique française*, Bucuresti, Editura Didactica, Paris, Klincksieck, 214 p.

ULLMANN, S., c 1951, 1967, *The Principles of Semantics*, Oxford, Basil Blackwell, 352 p.

— c 1952, 1975, *Précis de sémantique française*, Berne, Editions A. Francke SA, 352 p.

— c 1962, 1972, *Semantics : An Introduction to the Science of Meaning*, Oxford, Basil Blackwell, 278 p.

VALENTIN, P., 1964, Une linguistique sémantique, *Etudes germaniques*, XIX, 3, pp. 255-261.

VAN OVERBEKE, M., 1975, Antonymie et gradation, *La Linguistique*, XI, 1, pp. 135-154.

VION, Robert, 1979, Sémantique et modèle structural, *La Linguistique*, XV, 2, pp. 141-148.

VON WARTBURG, W., avec la collaboration de S. ULLMANN, 1969, *Problèmes et méthodes de la linguistique*, Paris, PUF, 350 p.

WEINREICH, U., c 1967, 1970, La définition lexicographique dans la sémantique descriptive, *Langages*, 19, pp. 69-86.

WELLS, R., 1954, Meaning and Use, *Word*, X, 2-3, pp. 235-250.

WEYDT, H., 1972, Le concept d'ambiguïté en grammaire transformationnelle-générative et en linguistique fonctionnelle, *La Linguistique*, VIII, 1, pp. 41-72.

WHORF, B. L., c 1956, 1969, *Linguistique et anthropologie*, traduit de l'anglais par Claude CARME, Paris, Denoël-Gonthier, 230 p.

WIERZBICKA, Anna, 1972, *Semantic Primitives*, Frankfurt/M., Athenäum Verlag, 235 p.

INDEX DES NOTIONS

INDEX DES AUTEURS

Imprimé en France, à Vendôme
Imprimerie des Presses Universitaires de France
1981 — Nº 27 492